JN119039

サイバー攻撃への抗体獲得法

**レジリエンスと
DevSecOpsによる
DX時代の
サバイバルガイド**

はじめに

　世界的パンデミックのため、企業経営、国家運営をめぐる環境は目まぐるしく変化している。この変化によって加速したのが、人々の暮らしや仕事のデジタル化だ。

　このデジタル時代を企業と国家が生き抜くためには、サイバー世界の防衛力が生命線となる。既にサイバー攻撃をきっかけとして廃業した企業が、海外だけでなく日本にも存在しているが、変化の対応に失敗すれば、今後も多くの企業が同じ轍を踏む可能性は高いだろう。

　また、もうひとつの懸念としてあるのが国家勢力を背景としたサイバー攻撃の存在で、国の存亡すらデジタル世界の防衛力にかかっているといっても過言ではない状況が既に到来している。なにしろ、最新の兵器は陸海空、宇宙も含め、ソフトウェアにより制御されている。こうした兵器ソフトウェアへのサイバー攻撃は今後ますます大きな脅威となっていくことだろう。さらにAI化が進み、ソフトウェアが重要な判断を担っていくにつれて、そのセキュリティが重要となっていくことは明らかだ。

　既にわが日本国も、政策としてDX with Cybersecurityを謳い始めている。これは、企業の職場や人々の暮らしのDX（デジタルトランスフォーメーション）を進めるにあたり、そのセキュリティを重視しなければ、足元をすくわれるという警鐘にほかならない。いまや生活や産業はソフトウェアに支えられて成り立つ

ている。電気、ガス、水道、交通、金融サービスなどソフトウェア制御により成り立っている暮らしのインフラはたくさんある。これらが攻撃に遭えば、その企業と顧客だけでなく、社会そのものが混乱に陥るだろう。実際、2021年5月にはアメリカ最大の石油パイプラインがサイバー攻撃に遭い、5日間操業停止になるだけでなく、多額の身代金まで支払うことになってしまった。

　そんな中で、日本国がDX with Cybersecurity をスローガンとして掲げ始めたのは一歩前進ではあるが、実は世界のパラダイムは既にさらに先を行っている。

　それが、サイバーレジリエンスという新たなパラダイムだ。

　サイバーセキュリティが、防御線を張ることに注力した考えた方であるのに対して、サイバーレジリエンスは、システムが乗っ取られることを前提にしている。つまり、アンチウィルスソフトなどのセキュリティツールや認証を通してソフトウェアを守り抜く、という考え方ではなく、どれほど堅牢な防御を敷いても必ず突破されることを前提として、クリティカルな被害の回避と、被害からの回復プロセスまでも視野に入れたものがサイバーレジリエンスなのだ。ただし、「必ず突破されるのが前提」と聞くと「そんなのは防衛ではない！」と思う人々も多いかもしれない。

　しかし、Google、Apple、Netflix、Tesla などの巨大IT企業が既にサイバーレジリエンスの考え方を取り入れ、近年ではアメリカ国防総省でも本格的に取り組みが進んでいる。この意味は大きいだろう。既にサイバーセキュリティという考え方は時代遅れ

である、という専門家までいるほどなのだ。

こうしたパラダイム変化のきっかけとなったのは、元CIA・NSA職員のエドワード・スノーデンが暴露したスタックスネットという、ウィルスプログラムの存在が大きいだろう。スタックスネットは、開発者でさえ気づいていない未知のバグを突いて攻撃を仕掛け、イランの核施設を破壊している。こうして世界は、どんなセキュリティ対策を行うか、ではなく、攻撃後いかに速く、的確に被害に対処していくべきか、ということを主な懸案とするに至ったのだ。

サイバーレジリエンスを高めるためには、そもそもどのようなソフトウェアの作り方と運用のやり方を行えばよいのか、ということから考え直す必要が出てくる。

ここに、DevSecOps（デブセックオプス）という新たなシステム開発と運用のための方法論が生み出された。2015年に登場し、Netflix、Tesla、Appleを始めとしたアメリカの先進企業で導入されており、2018年からはアメリカの国防総省でもDevSecOpsへの改革が急速に進められ、戦闘機などの兵器のソフトウェア開発と運用の現代化が進められている。このようにDevSecOpsは企業だけでなく国家の安全保障にも関わる重要なテーマなのだ。

本書は最先端のパラダイムとなっている、サイバーレジリエンスとDevSecOpsをメインテーマとして書かれた日本語では初めて、また世界的にも先端的な内容を紹介する書籍となる。国家の

安全保障に関わる政策立案者、企業の経営者、企業のDX推進に関わる担当者やIT部門の責任者、これからそうした役職を目指したい若手ビジネスパーソンや学生、国家安全保障や戦争論に興味のある方や、これらを扱うジャーナリストの方など、幅広い層を対象としている。本書では世界最先端と言える専門的なテクノロジーについても言及しているが、前提知識がなくても理解できるように書いているので、ぜひ安心してお読みいただければと思う。

　それでは、本書の構成について説明しよう。まず1章では、AIの脆弱性を中心に扱い、今後のデジタル化、AI化が進む上での脅威の存在について、明らかにしていく。これはAIを推進する立場の業界にいる方々からはほとんど指摘されていない内容になるため、筆者は異端児になるかもしれないが、AI化が進展しきる前に、その原理的に脆弱性をぬぐいきれない特性について十分な議論が必要との問題意識で本書にまとめた。

　筆者自身、2015年頃と世界的にも比較的早い段階で、ディープラーニングを始めとした現代AIの産業実装を進めてきた経験があり、将来の社会において、AIへのサイバー攻撃対策が必須になることは実感している。既にサイバー攻撃と、その防御についてもAI化が進んでおり、Googleやマイクロソフト、国防総省といった企業や政府機関が積極的にサイバー防衛にAI活用していることも本書で扱っていく。

　2章では、サイバー世界の脅威とは、国家、企業、個人にとっ

5

てどのようなものなのかを、ケーススタディを通して明らかにする。先述した、サイバー攻撃により事業廃止に追い込まれた企業の事例だけでなく、Google のサイバー攻撃被害事例など、2010年頃以降からの国内外の主なサイバー攻撃被害の状況と意味合いについて解説する。さらには、2014 年にロシアがクリミアを併合した際に用いた、サイバー攻撃と特殊部隊による攻撃や SNSでのフェイクニュースなどの認知空間への攻撃を混合させた、ハイブリッド攻撃という戦争の新たな手法についても解説したい。今後の国家安全保障や企業の継続的な成長戦略を考える上で、ハイブリッド戦争も含めて予期され得る様々な危機を乗り越えることは必須となるためだ。パンデミックにより様々な危機に直面している昨今だからこそ、現代のリーダーには、他にもあまたある危機への対応力が求められる。

　3 章ではサイバーレジリエンスとはどのような考え方なのか、どのようにすれば組織がレジリエンスを高めることができるのか、について明らかにする。この章は、2019 年に慶應義塾大学で行われた「サイバーセキュリティ国際シンポジウム」で、筆者が国防総省の CIO（最高情報責任者）を務めたご経験のあるリントン・ウェルズ博士と行った公開対談を元に、博士の論考やアドバイスを踏まえて大幅に加筆した内容を収めている。国防総省は世界最大のソフトウェア開発予算を運用する組織であり、そのCIO を務めたウェルズ博士の知見は、あらゆる企業・国家機関にとっての参考となるものと確信している。詳しくは本文に譲る

が、システムは必ずハックされるもの、あるいは既にハックされているものとして、どのように被害を抑え、その被害経験から"超回復"を遂げるのか、がレジリエンスの考え方となる。

　4章ではまず、DevSecOps とは何かを詳述し、組織が競争力を高めるために、DevSecOps をどのように活かし、どのように進めればよいのかということについて扱っていく。組織のサイバーレジリエンスを高めようとすると、ソフトウェアそのものをいかにセキュアに構築するか、という考え方に行き当たるが、この背景から登場したのが DevSecOps というソフトウェア開発の新しいパラダイムで、現在、先進企業で定着が進んでいる方法論となる。

　筆者が国防総省に実際に訪問して、現役の DevSecOps 推進責任者や、国防総省及び全米のテック先進企業へのアドバイスや共同研究を行っているカーネギーメロン大学の教授陣からレクチャーを受け、さらには筆者なりに実践した経験を踏まえて本章にまとめている。

　DevSecOps は、ソフトウェア開発を高頻度サイクルで行うことで、市場での競争力を強化しながら、サイバー攻撃対策も自動化していく方法論となる。2010 年頃から登場した DevOps（デブオプス）という考え方により、Google は 1 日あたり 4 万回以上ものソフトウェア改善を行っていると言われる。GAFA ではここ 10 年ほど、当たり前に取り組まれてきた DevOps に、セキュリティを足した、最新のソフトウェア開発手法が DevSecOps と

なる。現代では、ソフトウェア開発力は産業競争力の源泉になっているので、いかに効果的で安全なソフトウェアを作るかは、経営リーダーを始めとしたあらゆるビジネスパーソンにとって必須の知識となっている。経営リーダーたちが、ソフトウェア開発のありかたについての、正しい知識と実践経験を得ていけば、みずほ銀行のような度重なるシステム障害に苦しむ企業は無くなっていくだろう。DevSecOps はあらゆる企業経営者が必須に身に付けるべき新しい常識となるはずだ。

　さらに本章では、今後我が国がサイバー防衛力を高めていくための提言も行っている。先進国では、サイバー防衛のための人材育成、ベンチャー育成、企業や政府機関での利用のエコシステムが整っている。アメリカの諜報機関である CIA や国防総省なども自らベンチャーキャピタルを運営して、サイバー防衛のための次世代技術開発に投資しているように、日本にもこうした防衛技術投資を目的としたベンチャーキャピタル創設は有効な手立てとなるだろう。さらに、中高生からのハッカー教育も充実させていく必要もあるので、人材育成に関する提言もさせていただいた。また、現代のほとんどのサイバー攻撃を無力化する奥の手とも言える秘策についても4章に書かせてもらった。サイバー攻撃の無力化のみならず、我が国の情報通信サービス全体の競争力を高めることにもつながる策ではないかと思うのだが、詳しくは本文に譲りたい。

　巻末には、米国、特に政府機関のサイバー防衛を牽引するカー

ネギーメロン大学ソフトウェアエンジニアリング研究所（SEI）のハサン・ヤサール氏による特別寄稿を収めている。ＤＸ時代に求められる DevSecOps の方法論とその文化を浸透させるためのポイントを扱っている。1章から4章の内容を理解した方ならば、入門者でもヤサール氏の高度で専門的な内容が理解できるようになっていると思う。

　なお、カーネギーメロン大学は、日本ではまだあまり知られていないかもしれないが、US News のランキングによると計算機科学（コンピュータサイエンス）の分野で、MIT、スタンフォードと並んで全米一位、特に AI 分野とサイバーセキュリティ分野については単独で全米トップの学術機関となっている。本書の内容は、ハサン・ヤサール氏だけでなく、苫米地英人先生など多くのカーネギーメロン大学関係者の叡智に負うところも非常に大きいことは最初に書いておきたい。

　本書をお読みいただくことで、現在の DX 時代において、リーダーたちが身に付けるべき必須の知識が身に付くことをお約束したい。この一連の知識は、政府機関や企業が自組織のサイバー防衛を行うための"抗体"として機能するだろう。新型コロナウィルスから身を守るために抗体が決定的な役割を果たすように、組織へのウィルス攻撃にも抗体が必要なのだ。

　国立の研究開発機関である情報通信研究機構の報告によると、我が国が 2020 年に受けたサイバー攻撃通信のパケット数は約5001 億。1 日当たり 13 億 7000 万、国民一人当たり 1 日 10 とい

う数のサイバー攻撃目的の通信が行われている現状がある。2011年には年間45.4億パケットだったので、9年間で110倍に増加したことになるわけだ。

　そしてこれは日本だけでなく、世界的に起きていることで、世界ではこの10年間様々な対策が進み、現在も日々進化している。その対策の考え方の根幹にあるのがサイバーレジリエンスという新しいパラダイムであり、またその実践には、DevSecOpsという新たなソフトウェア開発手法が欠かせないのだ。

　本書は、ここ10年で100倍以上に増えたサイバー攻撃に、いま世界がどのように向き合っているのか、世界の先進的な対策方法を可能な限り、その前線にいる人々との直接の対話を重視しながらまとめたものとなっている。こうした先端的な知見が、現代のＤＸ時代に必要な抗体作りの役割を果たし、企業や国にとってのサバイバルガイドとなることを願って本書にまとめた。

サイバー攻撃への抗体獲得法　目次

第3章
サイバーレジリエンスによる
文化・オペレーション・インフラ改革　105

第 4 章
DevSecOps による組織の競争力強化と DX 時代のリーダーたちへの提言　157

特別寄稿

すべてのシステムが DevSecOps で 構築されるポストデジタル時代　224

第 **1** 章

AIがハッキングされる時代

本章では、私たちの暮らしのデジタル化が進むにあたり、便利さの裏でどのような危険が待ち受けているか、ということについて、世間ではほとんど語られることのない視点からアプローチしていく。

●Society5.0に仕掛けられた落とし穴

　ここ数年、AI（人工知能）が人々の暮らしを豊かにし、産業が活性化するという気運が世界的に高まっている。日本政府でも成長戦略としてAIやデータが社会基盤となるSociety5.0の実現を謳っている。

　Society5.0とは、これまで人類社会が、狩猟社会→農耕社会→工業化社会→情報化社会へと進化を遂げて来たと捉えた上で、今後AIやデータ、IoTなどデジタル技術の活用により到来する新たな社会運営体制のことを言う。

　実際にいま日本で取り組まれているものとして、宅配便の再配達の解消を例に説明してみたい。

　国土交通省によると、2019年4月の宅配便再配達率は16%、2020年10月の再配達率は、コロナの影響で在宅が増えたためか11.4%に改善しているが、それでもなお10個に1個以上は、二度手間になっていることになる。こうした再配達によって、ドライバーのべ9万人が無駄足を踏み、無駄になるコストは2000億円以上とも言われる。さらには、運転によるCO_2も余計に排出されていることになる。

　Society5.0 では、こうした課題に対して、AI やデータ、IoT などの技術を用いて解決にあたる。次のようなやり方だ。

　再配達は、確実に家にいる時間帯に配達できれば解消できる。受取人が家にいる時間を精度高く予測してその時間を狙って配達できればよいことになる。

　そのためには家にいるか、いないかを示すデータがあればいいわけだが、それを解決したのが家庭の電力使用データだ。

　電力使用量は時間帯によっても異なるが、在宅であればライトがついたり、エアコンが使われる。一方、不在のときにはそうした電力が使われないので、電力使用量のデータは、特徴的な波形を取る。さらには、電力使用量のデータから特定のどの家電が使われているかも解析が可能であるので、不在であっても稼働し続けている冷蔵庫による電力消費といったことまで一定精度で判別が可能となる。

　こうした各家庭におけるリアルタイムの電力使用のデータは、スマートメーターの普及により、電力会社によって収集可能なインフラが整いつつある。

　電力会社はこのスマートメーターによる各家庭の電力使用データを使って収益化を目指している。実は筆者も 2016 年頃にある電力会社からスマートメーターのデータを用いた収益化について、相談を受けていた時期がある。同様の検討は国内の各電力会社で今も継続中のはずだ。

　各社によるそうした検討の出口の一つとして取り組まれている

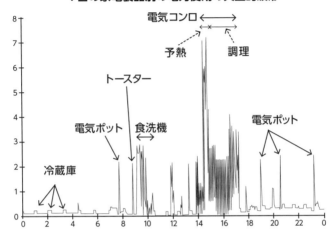

1日の家電製品別の電力使用の典型的波形

電気コンロ

予熱　調理

トースター

電気ポット　食洗機

電気ポット

冷蔵庫

図　家電製品別の電力使用の波形
（出所）インプレス

　のが前述した再配達解消のためのデータ提供だ。宅配業者が電力
会社からスマートメーターのデータを購入し、そこから在宅か不
在かをAIが判別し、在宅の時間帯を狙って配達員が品物を家庭
に届けることで、コストの無駄を解消するという、業界横断のビ
ジネススキームだ。電力会社はデータ販売の収益化ができ、宅配
業者はコスト削減ができ、さらにはそれがCO$_2$排出の抑制にも
つながるという、「売り手よし、買い手よし、世間よし」の素晴
らしいビジネスケースといえよう。
　東京電力によるとスマートメーターの設置台数は2019年7月
時点で約2277万台、普及率は79%であるから、十分なカバー率

を持って実現可能なスキームだろう。

　在宅／不在を判別するAIの開発は、筆者が相談に乗っていた2016年頃はまだ、スマートメーターからそうした判別が技術的に可能かどうかやってみないとわからない、という段階だったがその後それが十分に可能なことが研究成果として出てきている。2018年9、10月に行われた東京大学で行われた配送試験では、不在配送を9割削減したとされている。

　さらには、配達先となる家庭への配送ルートを最適化することで、配送にかかる時間と移動距離も抑えることで、燃油代とCO_2排出が抑制できる。

　ちなみに、スマートメーターによる収益化はほかにも、一人暮らしの高齢者の遠隔見守りの手段として、東京電力が既に「遠くても安心プラン」をサービス化している。離れて暮らす親の家の電力使用状況を、子どもがリアルタイムに把握できるようにし、いつもと違う電力使用のパターンが生じたときにメールで通知、心配なときには訪問確認を依頼できるというサービスだ。カメラを置くのには抵抗がある人が多いだろうが、使っている電力データを用いればプライバシーの侵害を気にしない人がより多いということだろう。

　さて、スマートメーターというIoT機器一つを取っても、再配達によるエネルギー資源の無駄の解消や高齢一人暮らしの親を持つ見守りといった具合に、データやAI、IoTは社会を便利にする可能性を秘めている。これがSociety5.0で実現されていく社

会の在り方だろう。

一見すると素晴らしい社会が実現されるように思える。

しかし、こうした便利さとは裏腹に、サイバー脅威が増すことに大いに注意しなければならないということが筆者の指摘したいことだ。サービス利用者の個人はもとより、提供者側の企業やそのサプライチェーンに入る業者全体で十分な注意と対策が必要となる。

まず、スマートメーターデータにより家にいるか、いないかがわかるということ自体が、少し考えればかなり危ない。在宅か不在かがわかるのが、善意ある宅配業者のみ、あるいは見守りをしたい近親者だけであれば問題はないが、万が一、悪意ある第三者に漏洩した場合を考えてみよう。

不在時を狙った家財の盗難、在宅時を狙ったレイプ被害、子どもの誘拐、要人の家であれば不在時の盗聴器設置や在宅時の暴行、暗殺被害といった様々な犯罪の温床となる。

確率の非常に低い、たらればの話だ、と切って捨てるのは簡単だが、2019 年に現実に起きた事件を紹介したい。

侵入警報器が誤作動して駆けつけた警備会社のセコムの職員が、留守を確認し、合鍵を使って家宅に侵入、貴金属を持って逃走した。信頼を寄せる警備会社の職員が、悪意を持った犯罪者として貴金属の窃盗を働いたわけだ。

スマートメーターのデータと、在宅か不在かの判別結果のデータを扱うプレーヤーはさらに多い。電力会社はもちろんのこと、

スマートメーターの機器の開発会社、部品の提供会社、スマート
メーターのための通信回線を提供する通信会社、さらにはデータ
から在宅か不在かを判別するAIを開発する、データ分析企業と
いった具合に様々なプレーヤーが関わる。さらには宅配業者の配
達員一人ひとりが各家庭の機微な情報を扱うことになり、配達員
の使う携帯電話やiPadのような端末の置き忘れなどでもリスク
となる。このどこかからでもデータが漏れれば、先述したような
犯罪を引き起こすことにつながる。

　2章で詳しく述べるが、現在でも個人のクレジットカード情報
などの個人情報がブラックマーケットで売買されているのが現実
である。遅かれ早かれ将来的に起こる未来として予測されるのは、
名前、住所、年齢、性別などの個人情報と共に、在宅か不在かの
判別結果がブラックマーケットにおいて高値で取引されること
だ。ほぼ100％の確率で確実に起きると筆者は考えている。

　また、医療の分野においても同じことがいえる。ポジティブな
使い方をするならば、過疎地で通院や往診が難しい高齢者が、遠
隔で医師の診断を受けるといったようなことが考えられている。
さらには、過去の医師の診断結果をAIが学習することで、AI
による、医師に代わった診断技術などの研究も進んでいる。

　しかし、その一方で、特定人物に誤った投薬をすることも技術
的には可能だ。誤った投薬による副作用からショック死するよう
な危険性も十分に考えられるし、それを意図的に行うこともでき
てしまう。

以上みてきたように、データ、AI、IoT などがもたらす便利な世の中は、サイバー脅威への対応をもってして、初めてその便利さが安全・安心と共に提供されることになるのだ。

　以降は、在宅 / 不在判別 AI のような AI がどのようにハッキングされるか、その仕組みを解説していくが、その前にそもそもAI とは何か、どういう仕組みかということを簡単におさらいしていく。

●AI（人工知能）とは何か

　Society5.0 で重要な役割を果たす AI（人工知能）が何なのか、報道などでも目にする機会が多いが簡単におさらいしたい。

　まず、AI とは Artificial Intelligence の略で、人工知能のことだ。

　では、人工の知能とは何かと言えば「人間の知的な情報処理を再現する機械」と説明できる。「人間の知的な情報処理」とはつまり、人間がこうして本を読んだり、読んだ内容を元に何かを着想したり、あるいは作曲したり、絵を描いたり、俳句を詠んだり、難しい論文を書いたりする、情報を用いたあらゆる活動のことをいう。

　言い換えれば、インプット（入力）となる刺激を元に、脳や心で何かしらの処理を行い、判断や行動をアウトプット（出力）するということだ。

　例えば、あなたが「昨日のお昼はカレーを食べたから今日は牛

丼にしよう」と考えたとしよう。この判断は、「昨日食べたカレー」が "入力情報" で、それを元に、毎日同じものを食べるのは栄養バランスがよくない、だとか昨日と同じものではつまらない、といった "情報処理" を行い、その内容を元に、寿司、焼き肉、中華、そばなど色々な選択肢がある中で「牛丼」を選ぶわけである。つまり、「昨日の昼はカレー」というインプット（入力）を元に、情報処理を行った結果、「今日のお昼は牛丼」というアウトプット（出力）をするわけだ。

このように、入力 → 処理 → 出力 という流れの情報処理が人間の脳で行われるのを人工的に再現しようとする試みが、AI（人工知能）というわけだ。

また、AIによる情報処理には、大量の過去データをアルゴリズムによって学習することで生成された情報処理モデルが用いられる。したがって、あらかじめ大量にデータを入力させることで、まず情報処理モデルを出力し、そのモデルに、入力を与えることで、出力が行われる、という仕組みだ。

例えば、自動運転は、人間のドライバーやシミュレーションによる走行データを大量に学習した「情報処理モデル」の生成と、それに現実世界の情報を入力させることで実現される。具体的には、センサーが捉えた車体周囲の状況を「入力」として与え、どのように運転するかを判断する「情報処理」を行い、結果として加速、減速、ハンドルを切るといった「出力」を行っているというような手順と仕組みで行われている。

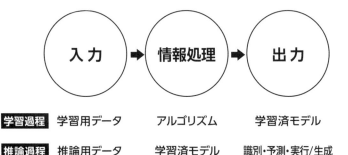

AI 情報処理システムの仕組み

	入 力 →	情報処理 →	出 力
学習過程	学習用データ	アルゴリズム	学習済モデル
推論過程	推論用データ	学習済モデル	識別・予測・実行/生成

図：AI による情報処理の流れ
出所）筆者作成

●AIをハッキングする方法

　では、どのように AI が攻撃されるのか、どうすれば AI がハッキングできるのか、についてみていきたい。まず、AI への攻撃ポイントは大きく三つある。

　先述したように AI は、「入力」を元に、「情報処理」して、「出力」するという三段階を経るコンピュータに共通な情報処理の過程を踏む。この三段階それぞれが攻撃ポイントになる。

　まずは、入力について。AI が学習する際に、意図的に偽のデータや質の悪いデータを入力として与えればハッキングが可能となる。2016 年 3 月、マイクロソフトの Tay という AI がまさにこ

れに引っ掛かり、ナチスを礼賛したり、差別主義的な発言をしたりするAIとなってしまった。Tayはオープンにどんなユーザーでも話しかけることのできるチャットボットだった。ユーザーの会話を入力として学習して成長する設計になっていたが、一部ユーザーが不適切な内容を大量に話しかけた。結果として、Tayはランダムに不適切発言をするAIとなってしまい、サービスが停止された。

　他にも、自動運転を想定した画像認識AIの攻撃可能性についても報告されている。一時停止の標識にテープを貼って細工をすることで、速度制限の標識であるとAIに誤認させることができるということがIBMの研究者らの論文によって、2018年に発表された。

　これは、現実世界で自動運転を走らせて発覚した例ではなく、自動運転に応用が可能な情報処理モデルの欠陥を探す研究であるが、「STOP」（一時停止）と書かれた標識の上下に「LOVE」や「HATE」といった字をテープで張り付けてみたところ、一時停止の標識とは認識せずに、速度制限の標識と認識したことを示している。

　実際に細工された標識を見ればわかることだが、人間ならば細工がされていても、それはイタズラ書きであって一時停止の標識であると認識することはさほど難しくなく、ましてや速度制限の標識と誤認識することは考えられない。AIがこうした人間には起こりにくい誤認識を起こすのは、過去の学習データの中から、

統計的に最も近いものを選別しているだけだからだ。学習時の
データに細工された標識も含めていれば、この例の誤認識を防止
する AI を開発することは可能ではある。しかしながら、現実世
界でどのような細工がなされるのか、あらゆるパターンをあらか
じめ学習しておく必要があり、完全に防止することのハードルは
高い。

　正常系の処理、つまり通常のデータを使って機能を想定通りに
作用させる処理は比較的容易に開発できるが、異常系の処理、つ
まり通常考えられないデータが入力として与えられたときに、エ
ラーのハンドリングなど正しい処理ができるか、というのは大き
な課題だ。多くのサイバー攻撃も、異常系の処理のミスを突いて
行われるため、AI の現実世界の適用においては、あらかじめ注
意と対策が必須だ。

　また、自動運転車を実現する AI をハッキングから守ろうとす
るならば、そのコンピュータを守ればよいと考えられるわけだが、
先述の研究は、いくら車体に積んだソフトウェアを堅牢なセキュ
リティで守ったとしても、外界にある道路の標識に細工をすれば、
誤動作を起こすことが技術的に可能であることを示しており、多
岐にわたる視点からの攻撃リスクに対応した製品開発が求められ
る。

　現に、インターネット上の一般人が Twitter に上げた投稿でも、
ラーメンチェーン店の看板を、自動車に搭載された AI が進入禁
止の標識と誤認したことが指摘されている。近年の実車に導入さ

小さな黒や白のステッカーを貼っただけで「一時停止」が「制限時速70キロ」と誤認識
出所）Eykholt et al. (2018) "Robust Physical-World Attacks on Deep Learning Visual
Classification"

れている運転アシスト機能にある、道路上の標識を認識する機能
が誤作動したわけだ。このケースではあくまで運転アシスト機能
なので、進入禁止と誤認識した道路に進入してもブレーキが作動
するわけではないが、自動運転の実装にあたっては、こうした街
中の紛らわしい看板の存在は課題になる。

　他にも筆者自身が見つけた例では、生命保険会社のロゴが進入
禁止の標識と酷似しており、進入禁止の標識を学習した自動運転
車は、この生命保険会社のビルに入っていくことができない可能
性がある。

　「入力」に続いて、「情報処理」のプロセスを攻撃できる可能性

について述べたい。アルゴリズムを使った学習済のモデルをハッキングして、情報処理部分のプログラムの記述を書き換える手法となる。権限のあるユーザーのアカウントを乗っ取ったり、プログラムのソースコードのバグを突いたりすることで、自由にソースコードを書き換えることができてしまう。

　さらに、わざわざソースコードを改ざんしなくても、画像識別AIの学習モデルに備わったバグを突いて、誤認識させることができることも知られている。

　右の画像の左右のトラックは人間の眼には違いがわからないが、右の絵は左の絵に対して、真ん中の絵のようなノイズを加えることで生成されたものだ。人間にはほとんど見かけが変わらないが、AIは左の画像については正常に車であると判別したが、右のノイズを加えた画像は、ダチョウと誤判別した。たしかに、真ん中のノイズはダチョウのようにも見えるが、ノイズを加えただけで、人間の眼には明らかにトラックである画像を誤判別させることができるのだ。

　さらに、こんな複雑なノイズを加えなくても、画像の中の1ピクセルだけを変更することで、全く別の誤った判別結果を得ることもできる。その1ピクセルのせいで、船を車と誤判別したり、馬をカエルと誤判別したりする結果を得ている。こうした攻撃を、論文著者らはワンピクセル・アタックと呼んでいる。まさに一撃で、AIをハックできるわけだ。

　以上、AIの情報処理過程をハックする方法を見てきたが、何

School bus ＋ tiny adversarial perturbation ＝ "ostrich"

出所）Szegedy et al.(2013) "Intriguing properties of neural networks"
出所）Pixabay のフリー素材。加えたノイズ部分がダチョウと似ている。

もこういったバグを突かなくても、AIが出した出力結果を書き換えてしまうというハッキングも考えられる。これがAIの攻撃箇所の3つ目だ。

　出力結果を改ざんすれば、例えば病気でない人の診断結果を病気と書き換えて、病院に隔離させたり、自動運転車にブレーキを踏むべきところで、アクセルを踏ませたりすることができる。他にも、正常に動作しているように見せて、実は正しくない結果を出力させることもできる。こういったことは既に軍事利用されていて、有名なものが2010年にアメリカのNSA（国家安全保障局）とCIA（中央情報局）、イスラエル軍と諜報機関のモサドによる

共同作戦と考えられる、イランの核施設へのサイバー攻撃で、正常運転の表示をさせながら、実際の稼働状況は異常な状態にして、ウラン濃縮を行う遠心分離機を破壊した。イランの核施設攻撃に使われた Stuxnet（スタックスネット）というマルウェアについては、2章で詳しく説明する。

　先述したスマートメーターによる在宅・不在の判断モデルの例でいえば、まず、電力使用量のパターンが、在宅のときと不在のときでどう違うかを学習させた AI モデルを生成する。その判別モデルに、実際の家庭の電力使用データを入力として与え、出力として、在宅か不在かを判定する、という処理の流れとなる。この出力結果が、何らかの形で漏洩、流出するリスクについては先述した通りだが、誤った出力結果を出せば、配送業者の業務効率を意図的に低下させるなど、物流機能を混乱に陥れることができてしまう。

●ディープラーニングと人間の思考過程の違い

　これまで述べてきたように、画像の1ピクセルを変えたり、ノイズを加えたりすることで、誤認識を起こすのは、AI が人間の認識方法とは明らかに異なる方法で、物体識別の判断を行っているからだ。

　人間が写真を見て物体や人物を認識する際には、メタ的な処理が行われているものと考えられる。つまり、ディテールがどうなっているか隈なく見て判断するのでなく、ぼんやりと全体の輪郭や

形状を見て判断する。現在の AI、特に中心技術であるディープラーニングの行う情報処理は人間の行っているやり方とは大きく異なる。ディープラーニングは、人間の脳の神経ネットワークを参考として開発されたために、あたかも人間の思考過程を再現しているかのような誤解があるが、実際はかなり違っている。

　ディープラーニングが画像を判断する際には、画像の 1 ピクセルごとの色を統計処理して判断する。画像には 1 ピクセル毎に RGB（赤緑青）の値があり、例えば 100 万画素の画像であれば、100 万個のピクセルそれぞれに色の値があり、AI は、その一つ一つの値を元に統計的な処理により、画像を判別する。ディープラーニングに大きな計算負荷がかかるのはこのためだ。人間が判断する場合には、100 万画素の画像をみて、その 100 万個の一粒一粒に注目して判断するようなことはない。全体をメタ的にみて判断する。

　こうした判断処理の方法の違いから、ディープラーニングの場合には、1 ピクセルの RGB の値を、誤認識を起こさせるようにうまく変更した画像を用意すれば、誤った出力をしてしまう。逆に人間が 1 ピクセルだけ違う画像を見せられても判断を誤ることはない。明らかに人間とディープラーニングでは思考過程が違うのだ。

●AIでハックする

　これまで、AI へのハッキング攻撃の可能性を見てきたが、逆

にAIを使ってハッキングすることも行われている。現在のAIはディープラーニングを中心とした機械学習が技術として使われている。そのディープラーニングの応用として、画像を生成するアルゴリズムである、敵対的生成ネットワーク（GAN）を応用した手法に、ディープフェイクという技術がある。ディープフェイクは、著名人や政治家などの声色・表情が本人そっくりなニセの動画を生成する技術である。この技術を使って、オバマ元大統領のニセ動画がYouTubeに投稿され、話題となった。話し方も声も本人そっくりのため、素人目には見分けがつかない。

　ディープフェイクを使えば、企業に損失を与えたり、国内政治を混乱に陥れたりが容易にできてしまう。例えば、有名自動車企業の社長が、「これまでに当社が生産した全ての車に命に関わる重大な欠陥が見つかりました。当社は過去に販売した全車種の全車をリコールします。」と話しているニセ動画を作り、SNSでボットアカウントなどを使って大量に拡散させたらどうなるか。

　株価は瞬時にストップ安となり、何千億もの時価総額が失われる。当該企業のオフィスや販売店には、問い合わせの電話が殺到し、業務どころではなくなる。また、社員が見て、これがフェイク動画であるということに気づいたとしても、事実確認にはそれなりの時間を要し、フェイク動画であるということを公式な記者会見やホームページ等で発信しても、その情報が行き渡るまでには相当な時間がかかる。犯人が、あらかじめ当該企業の株を大量に空売りしておけば、1日にして何億円もの金額を儲けることが

できてしまう。こうした株価操作は金融商品取引法違反になり、当該企業の業務妨害については、偽計業務妨害罪が適用されることになる立派な犯罪となる。

　企業だけではない。国内政治を混乱に陥れることもできる。首相がニセのアナウンスをしている動画や、問題発言をしている動画を作り、政権転覆の工作をすることが可能だ。政権転覆ならまだマシかもしれないが、天皇陛下のお言葉のニセ動画が拡散されれば、国内の混乱だけでなく、国の信用にも影響しかねない

　既にディープフェイクを使った犯罪も起きている。2020年には、有名女性芸能人の画像を数万枚集め、ディープフェイクをつかってアダルトビデオの映像を有名女性芸能人の顔に入れ替えたことで、名誉毀損、著作権法違反の疑いで逮捕者が出ている。

　もちろん、こうしたディープフェイクのニセ動画を偽物であると見抜く技術の開発も行われ、まばたきの不自然さから偽物判定をするアルゴリズムが作られたが、すぐにまばたきをランダムに自然に行うディープフェイクが作られてしまった。技術による対応はいたちごっこにしかならないのが現状なのだ。

　技術での解決以上に、企業においても政権においても、もし不審な動画が拡散された場合に、どのようにその真偽を確認するか、また一刻も早く偽物動画であるという公式な宣言を信用度の高いチャンネルで行うプロセスについて、事前に十分なシミュレーションと対策を講じておくことが大切となってくる。

　また、その際、企業、政府などの組織において、公式なチャン

ネルをいくつも運用するのは危険度が高い。有事の際にいくつも
チャンネルを持っていては火消しのハードルが高くなってしま
う。動画配信のチャンネルは少なく絞り、正当性のある公式チャ
ンネルとして普段から運用しておくべきだろう。

●AIによるサイバー攻撃

　サイバー攻撃をAIによって行う試みも進んでいる。AIがソー
スコードやバイナリコードから、攻撃可能な箇所を特定すること
に使われている。2016年には、DARPA（国防高等研究計画局）が、
完全に自動化されたAIで行う、サイバーセキュリティコンテス
ト「サイバー・グランド・チャレンジ（CGC）」を主催した。

　DARPAとは、次世代の軍事技術を開発するための米国国防総
省の内部機関で、大統領と国防長官の直轄組織であるため、米国
議会や米軍内部からの干渉を受けない特務機関として存在してい
る。過去には、インターネットの原型となるARPAネットを開
発した。このARPAとはDARPAの前身組織で、現在のインター
ネットの元を作ったのはDARPAなのだ。

　DARPAは300人ほどの組織で、プロジェクトマネージャーた
ちが軍事技術の開発のために研究機関に予算を付けたプロジェク
トを運営している。ちなみに、2016年にトヨタがシリコンバレー
に人工知能技術の研究開発のための新会社TRI（トヨタ・リサー
チ・インスティテュート）を設立したが、その社長に就任した人
物がDARPAのプロジェクトマネージャー出身だ。

　さて、その DARPA が 2016 年に主催したのがサイバー・グランド・チャレンジだった。CGC の優勝賞金は 2 億円で、全米だけでなく世界のチームが 2 年間かけて作り上げたサイバー攻撃・防御システムの精度を競い合った。脆弱性のある箇所を特定し、それを修正するパッチプログラムを作成するところまでを、人間の手を介さずに自動で行う能力が競われた。

　大会当日に人間がやることは、マシンを始動させ、マシンが攻撃可能な箇所を特定していく様子を、固唾を呑んで見守るというイベントだ。ラスベガスのホテルにマシンとマシンを作った研究者たちが集ったが、実際の勝負は、会場にマシンが運ばれるまでの全ての準備期間の中で決まっている。

　大会の結果として、カーネギーメロン大学のスピンオフ企業、フォー・オール・セキュアの開発したメイヘムと名付けられたマシンが優勝し、賞金 2 億円を獲得した。その後もフォー・オール・セキュアはメイヘムの開発を続け、2020 年 5 月には、米国国防総省と約 50 億円の契約を結び、国防総省の様々なシステムの防御に使われることが公表されている。

　何十億行もある既存システムのソースコードの一行一行をチェックするには、もはや人間よりも AI の方が圧倒的に適性がある。囲碁や将棋やチェスの世界では既に機械が現役のグランドチャンピオンや名人に勝利しているが、サイバー防衛の世界も防衛マシンとハッカーの戦いになってきている。攻撃側もマシンパワーで勝負してくるわけだから、実際には既に AI 対 AI の戦い

になっている。

　ただし、AI 対 AI の戦いとは結局、どちらがより強力な攻撃AI を作れるか、という人間同士の戦いであり、そうした研究に予算を付けたり、研究者を育てるための教育予算を付ける各国同士の戦いでもあり、突き詰めると国家間の政治力や経済力の戦いということになる。これが現代のサイバー戦の戦場の実態だ。現実世界の戦争においても、兵站（弾薬や食料などの補給）が勝敗を分けるわけだが、サイバー戦の兵站は、コンピュータリソース、それを扱う高度人材の量的質的な確保、さらには、こうした人材を教育する幼少期からの教育環境となる。

　2017 年にアメリカの国立歴史博物館は、メイヘムを防衛におけるイノベーションに関連して展示したが、アメリカではサイバー世界の攻防に対してメイヘムが果たす役割が既に歴史の1ページとして認識されているほどその重要性が理解されている。

●ハックするのもAI、ハックされるのもAI

　これまでみてきたように、AI やデータ、IoT を活用した Society5.0 が進展するにあたり、様々な便益が安全に享受できるかは、サイバー脅威への対応にかかっている。加えて、そのサイバー脅威への対応が、どれだけ優秀なハッキング AI を作れるかの勝負にかかっているという側面もある。メイヘムのようなハッキングAI を開発して、自分の作ったソフトウェアに適用すれば、攻撃者がやってくる前に、未然に脆弱性を潰すことができる。攻撃用

AI は、自分の防御用にもなるため、米国防総省は約 50 億円もの契約を結んで、メイヘムを開発中、もしくは開発済みのシステムに適用し、ソースコードのレベルからの防衛にあたっている。

Society5.0 やデータ駆動型社会を国の成長戦略として位置付ける日本においても、これらの背景の下、政府や企業におけるサイバー攻撃への対応が求められている。

これまでは、攻撃者から侵入口を塞ぐサイバーセキュリティ対策が多く採用されてきた。またサイバーセキュリティの重要性が説かれるようになってからは、セキュリティ監査といって、組織においてどれだけセキュリティ対応を行う体制が整っているかを外部業者に委託してアセスメントすることも稀ではなくなってきたが、実はそれは気休めにしか過ぎない。

セキュリティ監査で指摘される事項には、CIO（最高情報責任者）や CISO（最高情報セキュリティ責任者）が任命されているか、といったような組織のガバナンスやルール、基準などに対する監査が主だ。実際に自社にどれだけのセキュリティ脆弱性を持ったソースコードが眠っているかまでチェックが行われることは稀だ。

しかし、メイヘムが何をしているか理解すればわかるように、現在においては、プログラムが記述されているソースコードのレベルで脆弱性を潰していくというのが、世界のソフトウェア開発の常識になっている。さらにはその前提に立って、いかに開発プロセスや、利用するテクノロジースタック（技術群）、体制その

ものをトランスフォーメーションしていくか、ということがサイバー防衛のカギとなっている。

　歴史を振り返ってみれば、1980年代にジャパン・アズ・ナンバーワンと言われ、日本の製造業が世界を席巻した背景に、トヨタ生産方式に代表される日本の品質の高い製品製造技術があった。ソフトウェア開発力が産業だけでなく国家間の安全保障における競争力の源泉となった今、当時のトヨタ生産方式に相当するものが、本書の扱うDevSecOps（デブセックオプス）であると捉えられる。

　例えば世界で最も大きなソフトウェア開発予算を持つ組織である米国防総省においては、2018年からDevSecOpsを進めるトランスフォーメーションが進行し、テクノロジーのモダナイゼーション（現代化）が、強力なリーダーシップの下、行われている。DevSecOpsについては、本書の後半の3章、4章で解説していくことにして、続く2章では、サイバー空間における脅威がどのようなものか、企業にとって、国家にとってどのような意味を持つのかということを中心に述べていきたい。

第 **2** 章

サイバー空間における
国・企業・個人の攻防

本章は、世にあるサイバー脅威とはいったい何なのか、どのような脅威があるのか、について述べていきたい。2010年代で大きく様変わりしたサイバー世界における脅威、そして個人や企業だけでなく、国家もめぐってどのような攻防が繰り広げられているのか、について解説していく。

●サイバー世界で躍進するGAFA、Tesla

　まず、ここまで「サイバー」という言葉を定義せずに使ってきたので一度解説したい。

　英語の「Cyber（サイバー）」とは、コンピュータや、インターネットのようなコンピュータネットワークに関連したことを示す接尾辞だ。Cyber-spaceといえば、コンピュータやインターネット空間という意味となる。また、Cyber attackといえば、コンピュータ、インターネットに関連した攻撃ということで、コンピュータウィルスによる攻撃やネットワークの破壊、データの盗取などを意味する。これまで使ってきた「サイバー脅威」とはCyber threatのことで、こうしたサイバー攻撃に対する脅威ということだ。ちなみに、Cyberは、通信と制御に関する学問領域を意味するCybernetics（サイバーネティクス）に由来する言葉だ。

　暮らしや仕事のデジタル化が進んだことで、いまやサイバー世界が、世の中で最も大きな富を生む市場となっている。企業の時価総額の世界ランキングでは、Apple、Amazon、Facebook、Go ogle（の持株会社のアルファベット）、アリババといった企業が、トップ 10 を占めている。どれもインターネット空間上でビジネスをしているサイバー企業だ。また、自動車業界での時価総額世界一位（2021 年 1 月時点）の Tesla は、電気自動車メーカーであるのは間違いないが、既存の自動車産業とは違ってソフトウェア開発力に優れた企業である。特に、車を駆動させるソフトウェアのアップデートが購入後も定期的にインターネット経由で配信されることを考えると、電気自動車というリアル世界のハードウェアだけでなく、サイバー空間にも及んで競争力を発揮している。こうしたサイバー空間に強い企業が現在の世界の企業価値トップの顔ぶれだ。

　GAFA（Google、Apple、Facebook、Amazon）にマイクロソフトを足した、GAFAM や、GAFA に Netflix を足した FAANG などテックジャイアント企業群の呼称はいくつかあるが、どれもサイバー空間でのサービスで躍進している企業たちだ。

　サイバー空間が富を生む市場としての広がりを見せる一方で、そこでの脅威も 2010 年頃以降顕著になってきた。サイバー空間が富を生む場所として成長を続けているのだから、そこから富を奪おうとする輩も当然成長している。これがここ 10 年で大きくなってきたサイバー脅威であり、企業や個人にとっても大きな課題となっている。

　企業にとってサイバー世界は、富の源泉であると同時に、サイバー世界からの攻撃によって、経営破綻にもつながりかねない大

きな脅威をも内在している。

●サイバー攻撃により経営破綻したカナダの通信会社

　カナダにあった通信機器メーカーのノーテルは、かつてはノキアなどとも肩を並べる企業として事業を展開していたが、2009年に経営破綻した。ノーテルは少なくとも2000年頃から10年近くサイバー被害に遭っていたが、何年もの間それに気づかず、知らないうちに、同社の事業計画、製品の技術マニュアルや研究成果、社員のメールなどが外部に流出してしまっていた。外部の攻撃者が、同社のCEOを含む上級幹部7人から盗んだパスワードを使って自由に社内の最高機密に関わる情報を抜き取っていた。ノーテルのセキュリティを担当するアドバイザーは、中国からの攻撃によるものとして、流出した機密情報が、ファーウェイ（華為技術）の手に渡ったと糾弾している。

　事業戦略の書かれた計画書や新製品の開発情報などが紙でしか存在せず、金庫にしまってある、といった企業はもはや皆無だ。必ず文書はパソコンで作られ、電子化して保存されている。これを競合企業が自由に盗み取ることができる状態にあれば、企業経営が脅かされるのは当然だ。

　2018年12月にファーウェイの副会長がカナダで逮捕されたが、アメリカ政府の逮捕要請にカナダ政府が協力したことの背景に、過去のノーテル被害からの積年の思いがあったとは考えすぎではないだろう。

●サイバー攻撃により1か月で事業停止に追い込まれ、特損を100億円計上したセブン・ペイ

　2019年7月1日にサービスを開始したセブン・ペイ。セブン‐イレブンを展開するセブン＆アイグループが始めたモバイル決済サービスの会社だ。サービス開始の翌日7月2日にはユーザーに身に覚えのない不正利用が発覚し、7月末時点では808人が被害に遭い、被害総額は3800万円にまで積みあがった。

　サービス開始時のセブン・ペイの仕様では、パスワードが容易に盗み出されてしまう脆弱性があり、そこを攻撃者にあっという間に突かれてしまった。具体的には、ユーザーの生年月日と電話番号、メールアドレスがわかれば、パスワードを再設定する通知を、指定するメールアドレスに送れる仕様となっていた。現在、金融決済処理を伴う多くのサービスでは、多段階認証といって、メールアドレスの他に携帯電話番号やあらかじめ登録しておいた他のメールアドレスでの認証を取ることが一般的だが、こうした対応が取られていなかった。Amazonなどオンラインショッピングの際には、手書き文字の認識や携帯電話のSMSで受信したコードを入力するなど、もはやIDとパスワードを知っているだけでは信頼してもらえず、余計なやり取りに面倒な思いをする人も多いだろうが、これら多段階認証の仕組みは、被害を防ぐためのサービス提供企業の責務であり常識と言える状況となっている。

　セブン・ペイにおいては、ユーザーの被害とサービスの脆弱性は、結果としてユーザー全体の不信を買ってしまった。特に記者

会見に出席した経営トップが、記者から多段階認証について問われ、質問の意味を理解していない受け答えの様子が、マスメディア、ネットメディア問わず拡散されたことが、消費者の信頼失墜に拍車をかけた。結局同社は、サービス開始からわずか1か月後の8月1日に、事業の停止を発表した。

　サービス導入に至るシステム開発、プロモーションや社員の人件費を含めた初期投資額は公表されていないが、2020年6月付の同社の決算公告では、特別損失99億円、当期純損失が122億円という幕引きだった。100億円以上を投資してきた事業が、ユーザーパスワード管理の設計ミスによりわずか1か月で吹っ飛んだという事実は、サイバー脅威の大きさを示すに余りある事実だ。

●モバイル・ネットビジネスには一発退場の レッドカードがあることを経営者は自覚すべき

　このように、サイバー空間での事業展開を、リアル世界の常識でうかつに行うと、一発退場のレッドカードがあるということを企業リーダーたちは理解しなければならない。

　悪意ある攻撃者による企業のネットワークへの侵入を許し、甚大な経営被害を招いたノーテル。ユーザーのパスワードを第三者が盗める仕様となっていたセブン・ペイ。どちらも、きちんと守られるべきサイバー世界の情報を守りきれなかったときの被害の大きさを示す事例だが、こうした事例は世界にいくらでもある。サイバー被害の事例を挙げていくだけでも本が何冊も書けてしま

うほどだ。

　既に現代においては、サイバー被害は単なるテクノロジーに閉じた問題ではなく、経営全体の問題であることを経営者はよく理解しておく必要がある。ビジネスにおけるデジタル技術の重要性が増せば増すほど、サイバー空間での脅威は、現実世界のビジネスそのものを揺るがす。

　2021年5月には、アメリカ最大級の石油パイプラインがサイバー攻撃により操業を停止した。石油パイプラインへのサイバー攻撃は身近な話として、にわかに結びつけづらいかもしれないが、コンピュータ制御が行われるあらゆるサービスやインフラは攻撃対象となる。石油パイプラインはもちろんのこと、金融、通信、電力、ガス、水道、鉄道、飛行機、車などもサイバー攻撃に遭えば現実世界に影響の及ぶ被害となる。こうしたリスクを洗い出し、未然に防ぐためにどれだけのコストや人員を割くのか、被害が起きてしまったときにどのように対応、復旧し、顧客の信頼回復と安定的サービスの再構築に取り組むかの判断は、CIO（最高情報責任者）やCISO（最高情報セキュリティ責任者）ではなく、CEO（最高経営責任者）が最終責任を取るべき仕事だ。

　普段からサイバー脅威のリスクについて考え、対策への判断をしておかないと、被害が起きてからの記者会見さえろくにこなすことができない。セブン・ペイでは会見後に代表取締役が引責辞任し、持株会社役員陣も責任を取って報酬を自主返納している。

　こうしたサイバー攻撃被害の一方で、サイバー攻撃を実際に

行っている人々の顔は見えてこない。犯人が捕まったという話もほとんど聞かない。世にあるサイバー攻撃は、一体「誰が(who)」、「どうやって (How)」、「何の目的で (why)」行われているのだろうか。世界の様々な事例を通してみていきたいと思う。

●金銭目的のサイバー攻撃

サイバー脅威をもたらす攻撃者の狙いとして、まず挙げられるのは金銭目的だ。セブン・ペイで発覚した被害額約3800万円は攻撃者の手に渡っており、犯人が金銭的に不当な利益を得ている。

2014年に発覚したベネッセの個人情報漏洩事件も同様に金銭目的だった。この事件では、ベネッセが展開する進研ゼミの登録者の情報など約3504万件が外部に流出したとされる。情報を盗み出した犯人は、ベネッセのシステム運用にあたるグループ会社の委託先企業の社員だった。ベネッセが個人情報を管理していたシステムは、外部から隔離された環境にあったとされるが、犯人がたまたま携帯電話の充電をするために、端末に接続したことがきっかけで、実は内部の情報が携帯電話には書き出し可能な仕様となっていることを発見した。犯人はその後、進研ゼミなどの利用者の情報（保護者・子供の氏名、住所、電話番号、性別、生年月日など）を携帯電話に書き出し、名簿業者に売り渡したとされる。ベネッセのケースは、組織内部に出入りする人間の犯行であり、金銭目的で会社の管理する情報を売り渡したという犯罪行為だった。

　ベネッセはお詫びの原資として200億円を用意、260億円を特別損失として計上したが、事件により利用者の信頼失墜を招き、翌年には94万人の会員減と赤字転落が生じた。結果として2016年には当時社長の原田泳幸氏が辞任に追い込まれている。サイバー攻撃被害をきっかけとした引責辞任といってよいだろう。

●個人情報を取引する闇市場

　盗み出した個人情報の売買が行われる闇市場がインターネット上に存在することも知られている。例えばクレジットカード情報であれば1件あたり500円から最大1万円程度で取引される。金額が高いのは、プラチナカードなどランクが高く、高額利用者のカード情報で、裏面のセキュリティコードの情報まで揃っている場合だ。利用者の決済の件数と額が多ければ、それだけ不正な取引を混ぜても発覚しづらく、不正に資金流出できる確率が高い。読者の中には住所や氏名などの個人情報が流出しても構わない、と思う人も一定数いることと思うが、クレジットカードの情報が流出するとなると話は変わるはずだ。毎月のクレジットカードの明細にこっそりと、不正な取引が紛れ込み、それが長期にわたり継続することで何十万円もの被害に遭ってしまう可能性がある。いま実際に被害に遭っているが、発覚せずにいるケースも多くあることだろう。

　もちろん、クレジットカード会社側もこうした不正取引を検知するために様々な対策を講じている。近年では、現代の人工知能

技術の中心である機械学習を用いるアプローチもあり、不正検知の精度を上げるための技術も進化しているが、犯人側の手口も巧妙化しているため、いたちごっこの状況だ。また、カード会社側は、不正としてむやみに決済処理を止めることもできない。ユーザーが実際に行った正常な取引であった場合に決済処理を止めると、クレームにつながってしまうからだ。このため疑わしきはとにかく処理ストップという訳にもいかないのだ。この点は、コロナウィルスの検査に偽陽性、つまり陽性判定が出ているにもかかわらず、実際には感染していない状態があるのと似ている。

　闇市場では他にも、運転免許証の情報や、医療情報なども取引される。盗み出す犯人は、必ずしも直接被害者に危害を加えようとして盗む訳ではなく、それが売却可能なマーケットがあり、金銭を稼ぐことができるから狙うのだ。

　闇市場は、ダークウェブと言われる、通常の検索エンジンなどではヒットせず、特別なブラウザを使用しないと閲覧できないインターネット上の知られざるサイトとして存在している。盗み出した個人情報だけでなく、麻薬、児童ポルノ、海賊版コンテンツなど様々な物品やサービスが違法に取引される場所だ。中には、殺人を請け負うサービスやサイバー攻撃用のウィルスプログラムなども取引されている。ダークウェブは犯罪者の集まる場所であるが、取り締まる側も隠密で出入りしたりもする。2013 年には、FBI が Silk Road というダークウェブ上の闇取引サイトを隠密捜査によって摘発している。

　ダークウェブでは、あなたの個人情報も既に取引されているかもしれない。サイバーセキュリティ関連企業の中には、個人情報がダークウェブで取引されていないか、確認するサービスを提供しているところもある。こうしたサービスの無償版では、例えば調べたいメールアドレスを入力すると、「何年何月何日にIDとパスワードがダークウェブで取引されていた」というような具体的な診断結果が返ってくる。様々なインターネットサイトでのショッピングや航空券・ホテル等の予約サイト、メディアサイトなどにメールアドレスを登録している中で、そのどこかのサイトがハッキングされることで流出したか、あるいは個人のパソコンや携帯がハッキングされたものが、ダークウェブの闇市場に並ぶのだ。

　有料版では、クレジットカード番号のダークウェブ取引の過去の履歴を調べたり、将来的に売りに出たタイミングで通知したりするサービスなども含まれてくる。こうしたサービスに登録しておけば、一見安心なようにも見えるが、そのセキュリティ企業にメールアドレスやクレジットカード情報などをモニタリング目的で登録する行為そのものが、また新たな情報流出のリスクを広げることにも注意すべきだ。

●JALが受けた3億8000万円の 「ビジネスメール詐欺」被害

　2017年に日本航空（JAL）が被害に遭ったビジネスメール詐

欺も金銭目的だった。JALはこの事件で約3億8000万円の被害に遭った。取引先を偽装した外部の犯人の振込口座に送金をしてしまったのだ。

　ここでの手口は、JALと取引関係にある取引先のメールアドレスと似せたものを作り、そのアドレスから振込口座の変更を知らせる連絡を入れる、というものだった。メールアドレスの誤認と捉えれば、単なる担当者の不注意と片付けられかねないが、それほど単純ではない。

　例えば、あなたが、マイケルという会社のマイケルさんと日常的に取引しているとしよう。そろそろ今月の支払いの時期で、これまでと同じ請求書のフォーマットが送られてきたが、振込先をいつもと変えてほしいという連絡が添えられていた。マイケルといつもやり取りしているメールは、「michael@michael.com」で、今回の連絡も「michael@michaeI.com」から確かにきた。間違いなく本人のようだ。決済の処理を経理にお願いしようとすると、同僚からマイケルのメールアドレスがいつもと違うのではないか、という指摘が入った。何を言っているのだ、確かに正しいアドレスではないかと思ったが、あなたはそこで初めて、小文字の「l（エル）」が大文字の「I（アイ）」に変わっていることに気づく。おかしいので正しいメールアドレスに、振込口座の変更で間違いないかと確認したところ、すぐに「micheal@micheal.com」から、たしかに問題ない、というメールがきた。安心して処理を進めようとすると、また同僚から声がかかった。注意深くメールアドレ

スをみると、マイケルの綴りに間違いがある。「e」と「a」が入れ替わった違うメールアドレスからのものだった。

　処理をせず数日放置していると、今度は本物のメールアドレスから、振込先の変更は確かにお願いしていることだ、と連絡があったので、処理を実行した。

　数日後、怪しい連絡が入って支払いが遅れてしまったことに対するお詫びをしようと、マイケルに電話で連絡を入れると、振込口座の変更の連絡はしていないし、資金もマイケルの元には入金されていないという。その後、マイケルの会社で調査をしてみると、マイケルのメールアカウントがハッキングされていたことがわかった。

　どうだろうか。まず、ほんのわずかな綴りの違いを見分けるのはなかなか至難だ。よく使われているメールソフトでは、メールアドレスよりも表示名が先に出てくることが多く、まずメールアドレスが正しいかきちんと確認するということはほとんどない。ましてやほとんど同じ見た目のメールアドレスであれば詐欺だと気づきづらい。極めつけは、相手先の本物のメールアカウントに対しても犯人は侵入済で、本人に成り代わって本物のアドレスから連絡がくるのであれば、防ぎようはほぼない。

　こうした攻撃は「ビジネスメール詐欺」と呼ばれ、何か月も前からメールアカウントを乗っ取った上で、自然なタイミングと内容でコミュニケーションすることで、高額な詐欺を狙うかなり手の込んだものだ。

ビジネスメール詐欺は、2013年頃から世界的にみられるようになり、被害額も年々増加しているアメリカでは、2019年には2万3775件、被害総額は約1800億円に上ったとFBIのインターネット犯罪被害相談センター（IC3）が報告している。実に1日当たり65件、1件あたり757万円の被害が発生していることになる。日本国内でも日本語によるビジネスメール詐欺が増えており、海外からくる英語のメールにだけ注意をしていればよいという状態ではなくなった。

　2015年に起きた日本年金機構の個人情報漏洩事件では、ヤフーのフリーアドレスから、「厚生年金制度の見直しについて（試案）に関する意見」という、国民から年金機構への意見と思われるメールの開封から、125万件の個人情報漏洩につながったと言われる。年金機構職員であれば、国民からの意見は当然、開封して返事をする必要であるメールと誤解させることで大きな被害が起きてしまった。

　経産省傘下の独立行政法人である、情報処理推進機構（IPA）では、メール詐欺について注意を喚起している。

●サイバー世界の身代金誘拐事件

　金銭目的のサイバー攻撃は他にもある。ランサムウェアと呼ばれるマルウェア（悪意を持って作られたソフトウェア）を用いた攻撃だ。最近では2020年6月にホンダが大規模なランサムウェアによるサイバー攻撃の被害に遭っている。

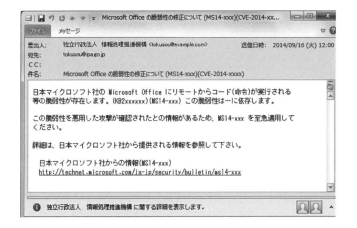

図　情報セキュリティに関する注意喚起を装ったメール文面の例
出所）IPA　J-CRAT（2016）「標的型攻撃メールの傾向と見分け方」

　ランサムウェアの「ランサム」とは身代金のことで、「ウェア」
とはソフトウェアのことだ。マルウェアとは、「マリシャス・ソ
フトウェア」の略で、悪意のあるソフトウェア、ということだ。
ランサムウェアはマルウェアの一種である。

　さて、ランサムウェアは、身代金を求めているのだから、人質
がいるわけだが、ランサムウェアが人質に取るのは、人ではなく、
パソコンやシステムの中のデータだ。保存していたファイルを暗
号化し、使えなくしてしまった上で、「暗号化解除のキーが欲し
ければ、10万円を払え」というような脅しを行うというサイバー
攻撃だ。銀行口座に送らせては足がつきやすいため、仮想通貨に

よる支払いを求めることが多い。ランサムウェアによる攻撃を受けると、パソコンやネットワーク内のデータが利用できなくなるので、通常の業務ができなくなる。2020年6月のホンダの被害例では、工場が稼働停止に追い込まれ、工場労働者でない従業員も休暇を取る対応などをせざるを得なくなった。

　ランサムウェアによる被害に遭った場合、企業など被害者組織の対応も難しい。考慮すべきこととしてはまず、身代金を払ったとしても、暗号化が解除されず、お金の払い損となる可能性が高いことだろう。また、仮に暗号化を解除されたとしても、脅しに屈してお金を払う相手だとわかれば、再び狙われる可能性がある。現に、ランサムウェアによる被害はリピート被害も多い。身代金を払わないで自力解決するには、数か月単位の期間と、身代金よりもはるかに高額な対応コストがかかる。また対応の結果として、データが完全に回復できない場合もあり、一度狙われてしまったら、地獄を見ることになる。

　ランサムウェア被害でもっとも悪名高いのは、2017年に世界的に被害が続出した「WannaCry（ワナクライ）」だ。英語で「泣きたい」という意味で、日本語でも「罠喰らい」と読めるが、しゃれにならない被害が続出した。150か国以上30万台ものコンピュータが被害に遭い、被害総額は、4000億円以上にも上ったとされる。サイバー世界の新型コロナウィルスのような、地球規模のパンデミック被害だった。

　海外ではイギリスのNHS（国民保健サービス）がWannaCry

の被害に遭い、病院での手術や診療ができない状態に陥るなどした。アメリカでは物流大手のフェデックスが被害に遭い、フランスではルノーの工場が停止、ロシアの政府機関なども感染した。日本でも、日立製作所、JR東日本、イオンが被害に遭い、ホンダは2020年に再びランサムウェアの被害を被った。当然、これらの企業や政府機関では、コンピュータに保存したデータが使えなくなり、業務に重大な影響を及ぼした。

　最悪だったのは、WannaCryの場合、身代金となる仮想通貨を支払っても、暗号が解除されることはなかった。攻撃者たちは、集められた身代金を元手に更なるマルウェアの開発や、闇市場で他のマルウェアを仕入れる費用にし、攻撃力の増強をはかっていただけであった。

　WannaCryは、マイクロソフトの開発するOS（コンピュータを動かす基本ソフト）であるWindowsの不具合を突くものだった。マイクロソフトは2017年3月14日時点で、脆弱性を改善するパッチプログラムを配布していたが、これをインストールしていないパソコンにおいて、5月12日になって被害が続出した。

　パッチプログラムの「パッチ」とは、元の意味としては「当て布」のことだ。コンピュータの一部が破れているのが見つかったので、修正用の布を当てて下さい、というのがパッチプログラムの配布の意味だ。

　読者の皆さんが使っているパソコンや携帯電話にもしばしばOSの更新を促す通知がくると思うが、これがきたら、服が破れ

ているのが見つかったので破れを埋めるというつもりで、端末へのインストールと再起動をすぐにすべきだ。

2017年のWannaCry以前からも身代金要求をするランサムウェアによるサイバー被害はしばしば発生していた。2016年11月にはサンフランシスコの地下鉄のチケットと改札管理のシステムが、ランサムウェアにより麻痺し、利用者から運賃の徴収ができない状態に陥った。運賃が無料になって喜んだ利用者もいたかもしれないが、地下鉄のシステムインフラがサイバー攻撃に襲われたことは、市民生活の安全にとって大きな脅威となる。

●オープンソースの脆弱性を突いたサイバー攻撃

サンフランシスコ地下鉄の場合は、オラクル社の提供するソフトウェア製品が内部的に利用していたオープンソースに潜む脆弱性を突いた攻撃だった。

オープンソースとは、ソフトウェアが行う処理内容の記述(ソースコード)を無償で公開し、誰でも自由に改良や再配布ができるようにすること、また、そうして開発・公開されているプログラムのことを指す。世界の開発者がボランティアにより、共同作業で便利なプログラムを開発し、それが広く公開され、使いまわすことができるようになっている。オラクル社のような市販製品を扱うソフトウェアメーカーもこうしたオープンソースのプログラムを利用して市販製品を開発・販売しているし、身近なところでは、皆さんが使う多くのネットサービスも内部で処理が記述され

ているソースコードにはたくさんのオープンソースが利用されている。ソフトウェア開発においては、なくてはならない存在だ。

　最近では、厚生労働省が普及を促している新型コロナウィルスの陽性患者との接触確認に使われるモバイルアプリも、オープンソースとして開発されたことが有名だ。筆者の知己であるエンジニアが、業務とは関係なく手弁当で始めた開発プロジェクトに多くの仲間が集まることになって短期間で作り上げたものだ。

　サンフランシスコ地下鉄のチケット・改札管理システムの内部、さらにはオラクル社の製品の内部では、Java（ジャヴァ）というソフトウェア言語のオープンソースを開発するアパッチプロジェクトという取り組みの成果として提供されているソースコードが使われていた。実は筆者が日本の大手のテクノロジー関連企業が開発したシステムのコード解析を実施した際にも、このサンフランシスコ地下鉄が突かれた脆弱性と同じものが実装されているのを発見したことがある。

　一般に知られていないことだが、企業が使うプログラムに脆弱性のあるコードが使われていることは珍しくない。その理由は、タイムリーにコードをアップデートしていく運用体制を敷いていないことが多いためだ。そのプログラムが内部的に利用しているオープンソースに知らない間に重大な脆弱性が発見され、公表されているにも関わらず、放置してしまっている企業は少なくない。たぶん、ほとんどの企業において、コードをスキャンすれば、どこかしらに既知の脆弱性が見つかる状態だろう。

こうした脆弱性が見つかった場合どのように対応すればよいのだろうか。解決方法は、いたって単純だ。アパッチのような大規模なオープンソースプロジェクトでは、脆弱性が発見されてからのパッチプログラムの提供も比較的短期間で行われる。そうして開発された新しいバージョンのものに自身のものを更新すればよいだけだ。ただし、バージョンを上げると、以前のバージョンで動いていた他の機能が正常に動かなくなるといった不具合が発生することがあり、慎重に進める必要はある。

　しかし、より複雑なのは、脆弱性が残ったままの古いバージョンのオープンソースを検出するほうだ。大量のソースコードの中から、どのオープンソースが使われていて、最新でない脆弱性のあるものはどれかを見極める必要がある。また、オープンソースにはお互いに依存関係があり、あるプログラムが、他のプログラムを内部的に呼び出して使って実装されていることがよくある。筆者が関わった前述のコード解析の取り組みでは、開発したエンジニアたちには、自身が脆弱性のあるオープンソースを利用しているという自覚がなかった。彼らがコードとして記述したオープンソースが、内部的に脆弱性のあるオープンソースを利用していただけで、脆弱性のあるプログラムを直接記述していたわけではなかったからだ。

　このようにオープンソース同士は、互いに依存関係を持っている。脆弱性が見つかった場合には、依存関係を考慮した上で、バージョンを更新する必要がある。例えば、Ａのバージョンを上げ

たら、Ａと関連するＢも一緒に上げるといった形だ。脆弱性の解消された新しいバージョンのプログラムが公開されたら、なるべくすぐに自身のソースコードを更新しないと危険が大きい。

●オープンソースの脆弱性により1億4000万件の 顧客情報が流出

　アメリカのエクイファックスという金融サービス企業は、消費者信用情報をクレジットカード会社などに提供している。同社から、2017年に1億4000万件以上の個人情報がサイバー攻撃により流出した。この原因となったのは、同じくアパッチプロジェクトのオープンソースで、2017年3月に脆弱性を修正するパッチが公開されていたにもかかわらず、同社はそれを放置して7月までの間に、1億4000万件以上の情報漏洩を引き起こした。

　実は、脆弱性の修正パッチの公開後は、特にパッチ未適用のシステムを狙って攻撃が増えることもあり、大きな損害を生むことにつながりかねない。

　最近では、こうした既に公表されている脆弱性を持ったオープンソースを識別する商用スキャンツールも出てきており、手作業で複雑な識別作業をすることなく、開発したソースコードの中にある、脆弱性付きのオープンソースを検出することが容易にできるようになった。そもそもオープンソースの開発プロジェクトにメインで関わっていたエンジニアたちが創業しているケースもあり、オープンソースの特徴や脆弱性にも熟知しているエンジニア

たちが開発している。アメリカを中心に、こうしたツールの利用が増えていて、あるスキャンツール製品ひとつを取っても、世界で数十万社に利用されている大変有用なものだ。2017年のサイバー攻撃で辛酸をなめたエクイファックス社は、セキュリティ対策を根本的に見直すトランスフォーメーションを実施しているが、こうした脆弱性発見のスキャンツールが利用されている。ソナタイプ社の開発するNEXUSというツールであるが、米国防総省でも採用されている。

　しかし、こうした脆弱性のあるオープンソースを検出するツールは、日本ではまだほとんど使われていないようだ。そのため、現在運用されているシステムの中にもかなりの数の脆弱性が残ったままのオープンソースが内在し、放置されたままだ。脆弱性は常に新しいものが見つかっていくため、それをモニターし、継続的に改善していくことが不可欠であるにも拘わらず、多くの企業や政府機関のシステムでそれが放置されている背景には、日本のIT業界の置かれた構造的な課題がある。日本の多くの企業や政府の組織は、システムの開発と運用を外部ベンダーに頼り切っている。彼らとの契約スコープにこうした脆弱性のあるコードの修正が含まれていなければ、これが放置されてしまうことになる。

　また、こうしてオープンソースの脆弱性ばかりを述べていると、「そんなに危ないならオープンソースを使わなければよい」という意見が出てくると思う。これはこれで、もっともな意見であるが、現代のソフトウェア開発において、様々な技術が高度化して

いる中で、都度ゼロから機能実装していくのはあまりに効率が悪い。オープンソースのように、それをショートカットする機能の存在は、スピーディな開発のためには不可欠なのだ。車輪の再発明という言葉があるが、誰かが既に作っている過去のアセットが使えるのに、わざわざそれを自分で作り上げるのは効率的ではない。

例えて言うなら、センター試験の数学の問題を、全く公式を使わずに解くのと、公式を使いこなして解くのであれば、当然誰もが公式を使う方を選ぶのと同じだ。便利で世間に受け入れられているものは使いこなす方が得策だ。

肝心なことは、使わないという選択肢ではなく、既に見つかっている脆弱性のあるものは外し、システムがリリースされた後も、新たな脆弱性が発見されれば速やかにパッチを当てる体制をつくることだ。それが行えるシステムの開発・運用体制を整えることが重要となる。

●イラン核施設を破壊したNSA・CIA・イスラエル軍

耳を疑う話かもしれないが、前述したランサムウェアの Wanna Cry は実は、ある国の政府機関から流出したプログラムが元となっている。WannaCry は、アメリカの NSA（国家安全保障局）が開発した「エターナルブルー」という、Windows の脆弱性を利用した攻撃用プログラムに改変を加えたものとして知られている。エターナルブルーは Windows に備わっているファイル共有

機能の脆弱性を突いたもので、ファイルを暗号化するプログラム
をネットワーク上の他のコンピュータにも感染させることができ
てしまう。ファイル共有機能（SMB と呼ばれる）は攻撃の標的
として狙われやすく、2020 年においても新たな脆弱性が見つかっ
ている。

　NSA はアメリカ国防総省内の機関で、国内外の情報の収集、
モニタリングなどにあたっている。いわゆる SIGINT（シギント、
Signal Intelligence の略）、つまり通信に関わる諜報・防諜のため
の専門機関だ。2013 年には、エドワード・スノーデンが、NSA
の内部文書を暴露し、アメリカ政府が国民の様々な通信データを
監視対象に置いていたことが、世界的に大きな議論を呼んだ。

　NSA のオペレーション（作戦）として有名なのは、2010 年の
イランの核施設の破壊だ。このオペレーションにはイスラエル軍
の情報機関 8200 部隊と、NSA との共同で作られた「Stuxnet（ス
タックスネット）」というマルウェアが使われ、実際の核施設の
破壊オペレーションには、両国の諜報機関である CIA とモサド
が関わったとされる。

　スタックスネットは、核開発施設の制御システムに侵入し、遠
心分離機の回転速度を上下させることで、遠心分離機を破壊した。
破壊された遠心分離機は 984 基にのぼるとされる。もちろん遠心
分離器には、運転の状態をモニタリングする機能もあったが、監
視員がみる表示上は、正常状態となる細工までされていたため、
2009 年後半から 2010 年初めぐらいまで異常な運転状態にあった

にもかかわらず、イラン側が気づくことはなかった。制御システムはインターネットにつながっておらず、物理的にも外部の通信環境から隔離された状態（エア・ギャップという）にあった。にもかかわらず、スタックスネットが侵入できたのは、USBメモリーを通したためだ。

　NSAの発想は、ネットワーク経由から侵入できないのであれば、人を経由すればよいという発想だった。USBメモリーにスタックスネットというマルウェアを仕込み、施設内のエア・ギャップのあるコンピュータに侵入させたのだ。NSAとイスラエル軍は、核施設に出入りする業者の端末にまず侵入し、業者がUSBを核施設内の端末に挿すことでスタックスネットに感染させた。ネットワーク経由で感染させられないならば、人に運ばせようという発想で、USB端末を経由させた。いくらネットワークから遮断されていても、定期的なメンテナンスなどで外部からUSB経由でアップデートファイルなどを移すメンテナンス作業があったわけだが、これを突破口としてスタックスネットを侵入させたわけだ。

　CIAとモサドが施設内部の技術者に協力者を得て感染させたという話もあるが、現実世界ではそんなリスクを取らずとも、施設内部の人間に、USBメモリーを端末に挿入させるのは簡単なことだ。施設付近にUSBをばらまくだけで、USBを拾った一定割合の人間が端末に挿してしまう。さらにその組織のロゴが付いたUSBであれば、端末に挿す確率は増し、ある実験では9割の

人が端末に挿してしまったという。

　この10年程でUSBメモリーを介した攻撃手法が知られるようになり、企業や政府組織でも、パソコン端末にUSBの読み取りをできない設定にするところが増えている。しかし、いまだに展示会などのノベルティとしてUSBを配っていることがあり、これらを通してウィルス感染することもあるため、読者におかれては、こうしたUSBは絶対に利用しないようおすすめしたい。また、USBを配っている企業の信頼性も疑った方がよい。悪意があるにせよないにせよ、USBが攻撃に使われるということを知らないリテラシーのレベルであるということだ。

　さて、このイランの核施設へのサイバー攻撃により、もはや物理的にミサイル攻撃などしなくても、核施設が破壊できるということが示された。さらに、遠心分離機の回転速度に細工をされ、隠密裏に施設が破壊されたが、スタックスネットが侵入していた機能の範囲で、放射能事故を起こすこともできたと言われている。つまりは、世界各国にある原子力発電所などの核を扱う施設も同様に攻撃可能であることが示されたわけだ。

　実際に日本でも、福井県にある高速増殖原型炉もんじゅの中央制御室に設置されたパソコンが、ウィルス感染し、外部と不正な通信を行っていたことが2014年に発覚している。今後、日本の核施設が狙われたら危険なことになる、というような呑気な話ではなく、とっくの昔から狙われているのだ。日本で稼働中の原子力発電所の制御システムにも、攻撃者だけが知っている未知の脆

弱性が眠っている可能性は十二分にある。

●WannaCryはNSAから流出した

　さて、こうしたイランの核施設破壊のウィルスを作ったNSAから流出したエターナルブルーに改変が施されたものが先ほどのランサムウェア「WannaCry」だった。エターナルブルーの流出の経路の詳細は不明だが、NSA職員の自宅のパソコンからNSAのネットワークにアクセスしたことがきっかけで流出したという情報がある。また、このパソコンにインストールされていた市販のアンチウィルスソフトが原因で、情報が抜き取られたとの説もある。また流出には、シャドー・ブローカーズという正体不明のハッカー集団が関わっており、NSAから窃取した攻撃ツールを公開しているが、恐らく彼らはアメリカの敵対国政府がバックにいる組織だと考えられている。

　アンチウィルスソフトは、コンピュータウィルスの侵入を防ぐためのソフトウェアであるが、コンピュータのOS、つまり最下層のプログラムにアクセスすることができるため、乗っ取られるとこうした被害が起きてしまう可能性がある。アンチウィルスソフトの開発企業としては、シマンテック、トレンドマイクロ、マカフィー、カスペルスキーなどが有名だ。コンピュータに明るくなくとも聞き覚えのある企業があるのではないだろうか。

　本来、コンピュータを守るためのアンチウィルスソフトに気づかずに内在していた脆弱性（バグ）を突かれ、攻撃利用されるこ

とが増えてきたため、近年では、アンチウィルスソフト自体を入れない方がかえって安全であるという論も目立つようになってきた。

　さて、2020年1月には、三菱電機から防衛省が研究している最新ミサイルの性能に関する情報が流出していたことが発覚したが、このときの手口も、アンチウィルスソフトの脆弱性を踏み台としていたことを朝日新聞が報じている。

　NSAから流出してしまったエターナルブルーが使われたとされるサイバー攻撃としては、他にも2019年5月のボルチモア市での被害などがある。市役所の数千台のシステムが乗っ取られ、10万ドル（約1100万円）の身代金要求があった。

　市民サービス機能の一部が停止してしまい、公共料金の支払い受付や市営の駐車場の料金が支払えなくなるなどした。支払いができなかったので放置していた市民のところには、機能回復した数か月後に延滞料金を含めて過大請求がされ、役所側も修正対応に追われるなど、攻撃ののちも市民生活が混乱したという。筆者が、ボルチモア在住のセキュリティ企業関係者から聞いた話では、ネットワーク上隔離した環境にあったデスクトップ端末に対して、攻撃者が時間をかけてハッキングし、そこから感染が広まったようだ。

　実は、ボルチモアはNSAの本部のあるメリーランド州フォートミードから車でほんの20分ほどの至近にある。近隣の国家施設での情報漏洩事故が、目と鼻の先の自治体の襲撃に使用される

という皮肉な事件となってしまった。

　エドワード・スノーデンが指摘していることだが、CIA から NSA に来てみて、NSA のセキュリティの緩さに驚いたという。CIA では自組織を守る取り組みが強固だったが、CIA に比べて NSA のセキュリティは弱かった。ただ現在は、スノーデンによる機密情報漏洩やエターナルブルーを含めた情報漏洩以後、急速に自組織のセキュリティを強化してきているとみて間違いないだろう。

●北朝鮮によるサイバー攻撃

　これまで金銭目的のサイバー攻撃についてみてきた。金銭目的の犯行というと、オレオレ詐欺集団のように、せいぜい個人や小規模の組織によって行われるようなイメージをお持ちの方もいるだろうが、国家が関わる金銭目的のサイバー攻撃もある。

　例えば北朝鮮だ。北朝鮮は外貨獲得を目的としたサイバー攻撃を行っているとされ、WannaCry も北朝鮮による国家的犯行だったとされている。

　WannaCry を用いた犯行にあたったのは、北朝鮮の情報機関である偵察総局の管理下にある「ラザルス」というハッカー集団だというのが米国政府の発表だ。2018 年に米国司法省が、WannaCry や後述するソニーピクチャーズへのサイバー攻撃に関与したとして、北朝鮮人の Park Jin Hyok 容疑者を訴追した。同容疑者は 2016 年のバングラデシュ中央銀行と国際的な銀行間送金

ネットワークである SWIFT のハックによる、約 90 億円に上る不正送金にも関与したとされる。

　北朝鮮はもともと目立った輸出産業がない上に、核開発や大陸間弾道ミサイル開発により、国際的な経済制裁も受けているため、外貨が慢性的に不足しているとされる。国外でのレストラン経営といった穏当な手段だけでなく、麻薬の生産・密売なども外貨獲得のために行っているとされる。そういった数多くの外貨獲得手段の中で、効率のよい外貨獲得手段がサイバー攻撃なのだ。

　2018 年に東京に本社を置く、仮想通貨交換所コインチェックから約 580 億円分の仮想通貨が盗み出されたことを覚えている読者の方々も多いだろう。ロシアのサイバーセキュリティ企業 Group-IB によると、コインチェック流出事件は、ラザルスの犯行によるものだ。2017 年から 2018 年にかけては、他にも韓国の仮想通貨交換所が二度にわたってラザルスに狙われ、計約 80 億円もの仮想通貨が盗難に遭った。コインチェックから盗み出された 580 億円だけでも、北朝鮮への経済制裁を大きく相殺するほどの巨額な資金だ。

　ラザルスは北朝鮮の外貨獲得に一役も二役も買っているが、国家によって行われるサイバー攻撃の場合、単なる金銭目的だけとは限らない。

　2014 年にカリフォルニア州にあるソニーピクチャーズ・エンタテイメント（SPE）にサイバー攻撃が行われ、公開前の映画本編や社員メールなどが流出した。犯人は「平和の守護者（Guardi ans of Peace）」と名乗り、北朝鮮の総書記・金正恩の暗殺と同国の民主主義化を描いた映画「The Interview」の公開予定の劇場を脅迫するなどの騒ぎを起こした。これを受けて、通常はSPE の経営に介入することはない、ソニー本体の平井一夫社長（当時）が、金正恩の暗殺シーンの描写を和らげるよう指示したとニューヨークタイムズが報じている。FBI は一連のサイバー攻撃を行った犯人をラザルスによるものと断定している。

北朝鮮のサイバー作戦部隊には、他にも脱北者やその支援組織についての情報収集や国外の産業や科学技術に関する情報の窃取にあたる組織もあるとされる。こうした北朝鮮のサイバー部隊の規模は、約 6800 人とされている（2019 年「防衛白書」による）。

●中国による産業スパイ活動

このように国家によるサイバー攻撃には、金銭以外にも様々に国家統治に関わる目的で行われている。

中国のサイバー攻撃を特徴づけるものとしては、安全保障や産業に利するためのスパイ活動の一環として行われているという点がある。そして、それが相当な大規模で行われている点が特徴だ。北朝鮮のサイバー部隊の規模が約 6800 人に対して、中国の規模は 17 万 5000 人程とされる。このうち、サイバー攻撃部隊だけでも 3 万人とされ、この 3 万人が他国へのサイバースパイ活動を展開している（部隊規模は、「防衛白書 2019 年版」による）。

近年、中国による他国の科学技術や重要産業についての情報窃

取が国際的に広く認識され、警戒されている。2018年12月にアメリカの司法省が上院の情報委員会に提出した報告書では、2011年から2018年の7年間で、アメリカで摘発された経済スパイ事件の90%に中国が関与していたことが明らかにされた。例えば、2018年にはDRAMという半導体製造で世界シェアの20〜25%を占める、アイダホ州のマイクロン社の技術が、中国に流出した。流出した技術の経済価値は、約9600億円相当とされる。この事件は、マイクロン社のエンジニアを通じた機密漏洩であったが、同様に社員や元社員からの情報窃取は、フォードやボーイングなどの有力企業を始め、数多く起きている。

　こうした、産業スパイ事件は対面の人を経由した窃取に限らず、サイバー世界でも大規模に行われている。

　2010年のオーロラ作戦と言われる中国のサイバー部隊のオペレーションでは、Google、アドビシステムズ、アカマイテクノロジーズ、ジュニパーネットワークスといった、アメリカを代表するテクノロジー企業各社に加え、モルガン・スタンレー、ダウ・ケミカル、ノースロップ・グラマンといった、金融、化学、軍需産業の代表企業など少なくとも20社が標的とされた。Googleは公式に、知的財産の窃取被害に遭ったことを発表し、またかねてから中国当局が求める検索結果の検閲に対する、ジョー・バイデン米副大統領（当時）やGoogle社内の反発から、2010年3月には中国ビジネスからの撤退の表明に至った。

　現在BATHと言われ、バイドゥ、アリババ、テンセント、ファー

ウェイという中国のテクノロジー企業の代表格の躍進が目立っているが、その背景には2000年代からのGAFA（Google、Amazon、Facebook、Apple）を始めとした北米の先進企業からの技術窃取があったとみて間違いないとの見方をする専門家も多い。本章でも既に触れた、カナダの通信機器メーカー、ノーテルからの情報窃取もその一例だ。

　こうした産業に関する情報のみならず、アメリカの政府、軍、企業の要人の情報も中国に狙われている。2018年には、リッツ・カールトン、JWマリオットなどの5つ星ホテルを擁する世界有数のホテルチェーンであるマリオットグループから、5億件、3億8300万人分の予約情報が流出したことが公表された。予約管理システムのデータベースが狙われ、氏名、住所などだけでなく、3億2700万人分については、パスポート情報も流出したとされる。このケースでは、2018年9月のタイミングで情報流出の疑いが浮上したが、外部のセキュリティ専門家も交えた調査により、実は4年前の2014年から情報流出が続いていたことが判明した。言わずもがなマリオットグループのホテルは、アメリカだけでなく世界各国の要人が泊まるホテルで、ここへのサイバー攻撃は、中国における諜報機関である国家安全部が実行したとされる。同様に、2015年6月にはアメリカ連邦政府の人事管理局から公務員2150万人分の個人情報が流出し、これも中国の国家安全部によるオペレーションであるとされる。

　こうした様々なサイバー被害はアメリカに限らず、日本はもち

ろんその他の先進国においても深刻なものだ。2018年12月には、アメリカ、日本、イギリス、カナダ、オーストラリア、ニュージーランドが、中国のサイバー攻撃を非難する声明を発出するに至っている。アメリカ司法省からの声明の内容は、外交機密や知的財産の中国政府による窃取とそれを中国政府が中国企業に譲渡することによって、世界の競争市場の公平性を侵しているといった内容だった。日本政府が声明を出した背景には、APT10という中国の国家安全部が関連するサイバー攻撃集団が、2015年6月に起きた日本年金機構での約125万人分の加入者情報の窃取の実行犯だったためとされる。

　しかしながら、こうした声明は中国側の抑止にはつながっていない。先述した通り2020年1月、防衛省が研究中の最新ミサイルの性能についての情報が三菱電機から漏洩していたことが発覚している。この事件は、ブラックテックという中国政府系のハッカー集団が実行したとみられている。

●コロナ禍のサイバー空間スパイ活動

　また、新型コロナウィルスのパンデミック下においてもなお、中国による情報窃取を目的としたサイバー攻撃が確認されている。2020年5月には、FBIと米国土安全保障省のサイバーセキュリティ・インフラストラクチャセキュリティ局（CISA）が、「新型コロナウィルス関連の研究ネットワークや職員から、ワクチンや治療、検査に関する貴重な知的財産と公衆衛生データを特定し

て違法に取得しようとする試みが観察されている」、「これらの情報の窃盗の可能性は、安全で効果的かつ効率的な治療法の開発を脅かしている」と、中国を非難する共同声明を出している。新型コロナウィルスの発生元の国が、国外のウィルスへの対応状況や研究成果を盗もうとしているわけである。

中国が、アメリカや日本、ヨーロッパなどの国外の技術を窃取する方法は何もサイバー攻撃に限ったことではない。中国は2008年に中国国外の先端技術の研究者をリクルートする制度として「千人計画」をスタートさせた。名の通り、千人の国外人材を招聘する計画だが、2017年時点で7000人のリクルートが行われたとされる。

この千人計画の参加者であるアメリカの先端技術研究者の中に逮捕者が出ている。2020年1月に逮捕された、ハーバード大学の化学学部の学部長チャールズ・リーバー教授は、この千人計画でリクルートされた一人とされる。2012年から2017年にわたり、給料として毎月5万ドル（約550万円）、生活費として年間15万8000ドル（約1700万円）をもらう契約を中国政府と交わしていた。千人計画メンバーは、こうした資金と見返りに研究内容を中国当局に提供したり、中には他国からの技術情報の意図的な窃取が行われたりしていることも米国政府などによって指摘されている。2019年11月の米国政府の調査委員会の報告では、千人計画の契約の実例が示され、参加する科学者たちに中国のために働くこと、契約を秘密にし、ポスドクを募集し、スポンサーになる中国の研

究機関に全ての知的財産権を譲り渡すことを求めていることが明かされている。

　なお、リーバー教授の逮捕は、米国国防総省（DoD）と国立衛生研究所（NIH）からの研究資金を受け取っていた時期と重なって中国から資金を得ており、DoD や NIH の担当のインタビューにおいて、虚偽の報告を行ったことにある。同教授はナノサイエンスの世界的権威で、2008 年にはノーベル化学賞候補に挙がったほどの人物であった。

　こうした動きを受け日本では、2020 年 6 月になって政府のイノベーション戦略推進会議が、国の研究費を申請する際に、外国の資金を受けているかどうかの開示を義務化する方針をまとめた。これまでに多額の国費が使われた研究も、中国からの千人計画資金と引き換えに流出した可能性が高い。何しろ千人計画は 2008 年から既に 10 年以上も運用されているのだ。

●人工知能研究界の大物も千人計画関係者？

　2010 年代以降、AI が急速な社会の広がりを見せているが、このきっかけとして大きなものは、ImageNet Large Scale Visual Recognition Competition (ILSVRC: イメージネット大規模画像認識大会) で 2012 年にトロント大学教授のジェフリー・ヒントン氏の率いるチームが圧倒的な差をつけて勝利したことにある。このとき使われたアルゴリズムが畳み込みニューラルネットワークで、一般的にはディープラーニング（深層学習）として知られる

ようになった。ディープラーニングは 2010 年代に突然出てきた手法ではない。畳み込みニューラルネットワークの源流に日本人の福島邦彦氏が 1979 年頃に開発したネオコグニトロンを見出すことができる。

さて、この ImageNet を立ち上げたのはスタンフォード大学教授のフェイフェイ・リー（李飛飛）だ。彼女は、その後スタンフォードの人工知能関連の研究所の所長を務め、2017 年から 2018 年には Google に籍を置き、人工知能技術の民主化を進めた人物として AI 業界ではよく知られている。

その彼女も、千人計画に関連する超大物であることが、日本国内でも一部のフリージャーナリストらによって指摘されている。海外メディアの報道をみても、フェイフェイ・リーが密接に関係している人物たちに千人計画参加者が多く、また 2017 年に Google の中国再進出に際して、中国共産党のスローガンを引用してメディア取材に答えているとされる。

ILSVRC は世界の一流 AI 技術を競う大会であったが、実は各国のトップ技術を収集するための装置であったのかもしれない。また、リーは 2010 年に一度中国から撤退した Google が、再び中国に再進出した際に、共産党側との重要な橋渡し役を務めたと考えられる。

2020 年 5 月、フェイフェイ・リーは Twitter 社の取締役会メンバーに加わることが発表された。米オンラインメディアの Business Insider の報道では、新型コロナウィルスの蔓延と 2020 年

のアメリカ大統領選についての誤った情報が拡散する取締りを強化していく最中の抜擢であったと指摘されている。実際にその後、Twitterではコロナウィルスや大統領選の結果をめぐった情報拡散の規制、アカウントの停止、ついには、現職大統領のアカウントの永久凍結にまで至ったわけだが、2020年5月のフェイフェイ・リーの抜擢とこうした動きとの関係は全くの邪推であるとは言い切れないだろう。

　なお、Twitterによるトランプ大統領（当時）のアカウント凍結については、ドイツのメルケル首相などが、「表現の自由は企業の要件によってではなく、立法府によってのみ制限できる」などと批判するなど、今後プラットフォーム企業の在り方について、重要な議題となっていくだろう。

　ちなみにGoogle Cloud Nextは世界各都市で開催されているGoogle社のイベントだが、2017年にサンフランシスコでフェイフェイ・リーが紹介したGoogle Cloud Vision APIというGoogleの画像認識AIについて、筆者は翌年の2018年の東京開催において、日本コカ・コーラの事例について講演したことがある。

●マスメディアが中国のサイバー攻撃・産業スパイを報じない理由

　日本国内では、メジャーなメディアの報道で中国による、こうしたサイバー攻撃やスパイ活動の状況が大々的に扱われることはアメリカなどと比べれば少ない。

　テレビや有力紙といったメインストリームのメディアが中国によるサイバー攻撃やスパイ活動について、大きく問題視した報道をしない理由の一つには、「日中記者交換協定」という日中間の取り決めからくる歴史的経緯がある。この協定はまだ日中の国交がなかった1964年に、日中双方の新聞記者交換と、貿易連絡所を相互設置する覚書を交わしたことに始まる。この後1968年に、オリジナルの覚書にいくつかの条項が加えられ、現在は協定自体は無効だが、日本の各報道機関と中国政府の間で不文律として実質的に有効であると言われている。その条項とは次のようなものだ。

○中国敵視政策をとらない

○「2つの中国」をつくる陰謀に参加しない

○中日両国の正常な関係の回復を妨げない

　この条文のために新聞社やNHKの在北京の記者には自由な報道が規制されてきたと言われる。中国当局の思わしくないスクープをした記者が、「10日以内に国外退去せよ」との命令を受けるといったことが少なくとも1970年代80年代に起きていたことが当時の記者たちによって語られている。当時は、監視付きの状況でしか取材が許されず、勝手に見知らぬ中国人に取材することも許されなかったという。結果として中国側の意向を汲んだ報道に偏らざるを得なかったようだ。

●もはや斜陽産業のテレビ・マスメディア

　日中記者交換協定の50周年を記念した2015年のシンポジウム
の報告書では、あるNHK職員が、「日本人の対中感情が悪いか
らといって、安易に“中国悪者論”にくみすることには自制的で
あるべき」と記した論考を載せている。日本のメディアが中国の
政治体制から中立な立場を取れなかった歴史が続く中で、むしろ
それを維持するように後輩である現役の職員たちが、伝統を継ぐ
ような事態になっていることが憂慮される。2020年の世界報道
自由度ランキングでは、日本は66位とされ、これをメディアが
政治批判のネタに使うことがあるが、メディア自身の課題につい
ても自浄作用が期待されはしないだろうか。

　2021年には、菅義偉首相の長男を含む東北新社幹部が、監督
官庁である総務省の幹部の接待や、その後、子会社が放送法の外
資規制に違反していたことにより衛星放送の認定が取り消されて
いる。放送法における外資規制とは、放送事業に関連する企業の
外国人・外国企業の議決権比率を規制するものだ。東北新社子会
社だけでなく、フジテレビの持株会社であるフジ・メディア・ホー
ルディングスも、2012〜2014年の議決権割合が放送法に違反す
る水準であったことが明らかになっている。

　自らが違法状態のメディアが、ニュース番組で政策や犯罪の是
非をお笑い芸人と共に論じる不思議な時代だが、若年層のテレビ
離れだけでなく、スポンサーの払う広告費を媒体別にみても、テ
レビなどマスメディアは既にマイナス成長。逆にデジタル広告は

二桁成長を続け、既にデジタルチャネルの方がテレビよりも広告市場規模は大きい。電通の調べでは、2019年の日本のテレビ広告費は、1兆8612億円で、前年比2.7%減、一方インターネット広告費は2兆1048億円で前年比19.7%増だ。テレビなどの既存のマスメディア産業そのものが、もはや明らかな斜陽産業と言ってよいだろう。テレビを賑わしてきた大物芸能人たちが、その活動拠点をYouTubeに移してきていることからも明らかだ。

●米英など五か国の謎の諜報ネットワーク 「ファイブアイズ」

さきほど、日本政府がAPT10という中国政府がバックにいるサイバー攻撃集団への非難声明を、2018年12月に出したと書いたが、同様の声明を出した国々に実は意味があることに気づいた方はいるだろうか。

アメリカ、イギリス、カナダ、オーストラリア、ニュージーランドの5か国が協調して中国非難の声明を出した。これらの国々は実は、諜報機関同士の隠密な情報共有ネットワークで連携している。この多国間諜報ネットワークは、通称ファイブアイズ（Five Eyes：五つの眼）と呼ばれている。根拠となる協定として、UKUSA協定（ウクサ協定）があり、加盟5か国間のSIGINT（シグナル・インテリジェンス、つまり通信諜報）を中心とした諜報機関の協力ネットワークだ。ファイブアイズは、第二次大戦中のドイツの暗号解読への米英の協力に源流をみることのできる長期

の協力関係で、アメリカであればCIAやNSA、イギリスであれば、MI5やMI6といった諜報機関の隠れた協力関係となっている。多くの日本人にとっては、スパイ映画の中の話のように聞こえるかもしれないが、現実に存在するネットワークとなる。

ファイブアイズは英語を母国語とした文化圏を共にする5か国の協力関係であって、日本はそこに名を連ねていない。しかし、2018年12月のAPT10への非難声明は、このファイブアイズが協調して出した声明に合わせて、日本も相乗りするという形で声明を出している。これは、今後日本はファイブアイズとの協調路線でいくよ、という裏のメッセージを中国側に示していたと読み取ることもできる。後程詳しく記すが、自衛隊のサイバー防衛隊や警察庁のサイバー犯罪対策の部隊もアメリカのカーネギーメロン大学に人員を派遣して訓練を行っているように、こうした海外ネットワークとの協調と連携は、今後の日本のサイバー防衛力強化の生命線といってよい。

●ロシアによるウクライナ併合

さて、話を国家によるサイバー攻撃に戻そう。サイバー世界での攻撃力を最も効果的に生かしている国として、ロシアを挙げる専門家は多い。ロシアのサイバー攻撃の特徴は、サイバー攻撃によるインフラの機能停止や破壊、相手国の国民の世論操作と物理的攻撃を組み合わせることで、地政学的勝利を収めることにある。これまでの説明で、現代の戦争が核やミサイルといった武器によ

る物理的な攻撃や牽制だけでなく、サイバー世界から相手国の物理的な施設破壊攻撃、重要情報の窃取などが加わっていることはよくご理解いただけたことだろう。

　物理空間とサイバー空間の攻撃を組み合わせた、現代的な「ハイブリッド戦争」の在り方を示したのが、ロシアだ。ロシアは、GDP のランキングで言えば 2018 年で 12 位と韓国やイタリアに劣後する存在であり、日本の 3 分の 1 程度の規模だ。人口でいうと日本よりも少し多い 1.4 億人程度。しかしながらこうした経済規模の話と、他国への攻撃力や安全保障の世界の話が別であることがこの国をみるとわかるだろう。ロシアが現代的な戦争の概念を覆してしまったといっても過言ではない。

　ロシアがサイバー空間と物理空間の攻撃をうまく組み合わせながら、他国に介入した顕著な例が、2014 年のクリミア併合だ。オーストラリア軍は「ロシアによるクリミア併合は、マジシャンが女性をのこぎりで真っ二つにするかのような、ミステリアスで、組織立っていて、狡猾な」作戦だったと評し、「プーチンのイリュージョン」とまで形容している。

　ロシアへのクリミア編入がきっかけとなって、近代戦争のパラダイムが、ハイブリッド戦争時代に突入し、それに対応して各国が慌てて軍備の現代化を進め始めている。日本とて例外ではない。2020 年 6 月にイージスアショアの配備撤回が発表されたが、物理的なミサイル攻撃からの防衛の優先度が下がっていることを示唆している。

さらに現在では、物理空間、サイバー空間に加えて、宇宙空間までもが、ハイブリッド戦争時代の戦場となりつつある。アメリカのトランプ前大統領が、就任中の功績として宇宙軍の創設を挙げることがあるが、宇宙空間の戦略的重要性の高さが背景にある。

　では、2014年時点でのクリミアのロシア編入においてロシアが駆使したとされる攻撃の組み合わせの一端をみていこう。ウクライナとその中の自治共和国だったクリミアを巡る政治情勢は次のようだった。

　2013年11月に、親ロシア派のウクライナ大統領ヤヌコヴィッチが、協議中だったEUとの連合協定の破棄を決定する。それに反発した市民たちがデモを始め、やがて暴動に発展し、警官隊と激しい衝突を起こすようになる。2014年2月20日になり、ヤヌコヴィッチ大統領がキエフから逃亡、ロシアへ亡命。親欧米派の暫定政権が発足。これを追認したクリミア首相への批判から、クリミア自治共和国最高会議（以後、クリミア議会）は、親ロシア派の新首相を2月27日に任命。3月6日にクリミア議会は、ロシア連邦に加入する方針を決定し、3月16日に住民投票を実施。住民投票では、95%以上のロシア編入への賛成票が投じられる。翌3月17日には、ロシア、クリミア、ロシア軍港の要地である自治都市のセバストポリが条約を締結し、ロシア連邦への編入が決議される。条約は4月1日に発効し、クリミア、セバストポリはロシアに編入され、現在に至る。国連や主な加盟国はクリミアのロシアへの編入を認めておらず、2021年現在に至るまで、国

際的な承認は得られていない。

　以上が一連の政治の流れだ。物理・サイバー空間では、この間、ウクライナ・クリミア間の通信回線の物理的な切断。ウクライナのデモ・暴動に関連する、SNS を含むウェブサイトの閉鎖。武装した自警団がクリミア州議会を占拠した状況下での、ロシア編入を問う住民投票の決定（この自警団は、リトル・グリーン・マンと呼ばれ、正体はロシアの特殊部隊スペツナズとされ、空港や政府施設も占拠したとされる）。さらには、政治家の携帯電話への DDoS 攻撃（集中的アクセスによるサービスダウンを狙ったサイバー攻撃、詳細は後述）。ヤヌコヴィッチ後のウクライナ新政権（新欧米派）のもたらす脅威について、クリミア域内のロシア系住民の不安を煽る情報が、ロシア国営メディアなどを通じて報道され、これらの情報を SNS で拡散。住民投票が国際法違反であるとする声明を掲げた NATO の公式ウェブサイトがサイバー攻撃されるなどした。

　要約すれば、議会や空港、政府施設などの要所を軍事的に制圧、通信を奪い、情報をコントロールすることで住民感情を操り、強引に、しかし政治的な手続きはしっかり踏んで、クリミア編入が行われている。住民投票の結果そのものを改ざんしたとの情報は、著者の調べた限り出ていないが、実際には十分に可能な手段であったことだろう。

●陸海空・サイバー・宇宙・認知空間のハイブリッド戦争

　クリミアの例を見ると、物理空間の攻撃、サイバー空間の攻撃、メディア・SNSでの世論操作に至るまで多岐にわたる攻撃がブレンドされていたことがわかる。特に世論操作の点に着目すると、最終的にターゲットになっているのは、人間の認知そのものであることがわかる。

　認知とは、人間の情報処理を行う仕組みのことで、五感から得られた情報を、意識・無意識で処理し、なんらかの出力を出すことである。例えば、音楽を聴いて心地よい気分になる、暑いから汗をかく、あるいはエアコンを付けるといった反応も、五感から得られた情報の処理を行う認知の働きである。

　テレビや映画、SNSを通じて特定の情報に触れ続ければ、認知の処理モデルも変わっていくことがあるため、気づいたら特定の政治信条に傾倒するといったことも起こり得る。例えば、プロパガンダは、意図的に市民の認知空間の情報処理モデルを書き換えることを目的とした、広報宣伝活動ということができる。クリミアの併合を準備してきたロシアが長期間にわたってメディアを使った情報の操作は、いわば認知空間のハッキングであり、特殊部隊やサイバー攻撃、メディアやSNSでの情報拡散などを混合させた総合的な作戦であった。

　そのため、認知空間は、陸・海・空・サイバー・宇宙に次ぐ、新たな戦場と捉えられるようになってきた。メディアやSNS、学校教育なども含めた広範囲での認知のハッキングであり、認知

戦争（コグニティブ・ウォーフェア）は、洗脳戦と言い換えることができる。アメリカでは通常戦とコグニティブ・ウォーフェア（認知戦争）、サイバー・ウォーウェア（サイバー戦争）などの混合をハイブリッド戦争と呼び、中国では超限戦と呼ばれる。

　ロシアがハイブリッド戦法を使ったのはクリミアに始まった話ではない。エストニアの政府サイト、市民サービスサイト、銀行サイト、主要メディアなどへのサイバー攻撃による市民生活が麻痺したのが2007年だ。犯人としてロシア系エストニア人の学生が逮捕されるなどしたが、規模の大きさから軍による関与が強く疑われる。

　2008年には、ジョージア（グルジア）軍とロシア軍との砲撃戦のさなかに、ジョージア側の政府サイトや重要インフラへのDDoS攻撃が行われた。

　なお、クリミアでも用いられたDDoS（ディードス）攻撃とは、特定のウェブサイトなどに対して大量のアクセスを発生させることでサーバーをダウンさせ、機能不全に陥れることである。例えば人気アーティストのチケット予約の開始直後にアクセスが集中し、サーバーがダウンしてしまって、ウェブサイトが表示できなかったり、処理が途中で止まったりしてしまうのを経験したことのある人もいるだろう。意図的にそれを起こすのがDDoS攻撃だ。世界中で常に、こうして本を読んでいる一瞬一瞬にも、どこかの国からどこかの国へDDoS攻撃による大量な通信が発生しており、途切れることはない。

●ロシアによる米国大統領選への介入

ロシアによる、エストニアやジョージアでの試行が、昇華されたのが、クリミア編入の作戦であり、これをオーストラリア軍は、マジシャンの手口であり、プーチンのイリュージョンといったわけだ。その後もロシアは、ウクライナに対して 2015 年にサイバー攻撃により大規模停電を起こし、20 万人の市民が真冬の 12 月に一時的に電力を使用できなくしてしまった。

2014 年のクリミア編入後には、2016 年のアメリカ大統領選にもロシアによるサイバー工作があったとされる。民主党全国委員会のスタッフのメールアカウントを詐取し、約 2 万通もの内部メールが流出した。その中からは、民主党候補の指名争いにおいて、全国委員会側がヒラリー・クリントンの対立候補であるバーニー・サンダースの評判を落とすための画策をしていたことなどが暴露された。さらには、ヒラリー・クリントンの選挙対策本部長ジョン・ポデスタのメールアカウントに標的型攻撃メールが送られ、メールアカウントがハックされた結果、約 5 万通ものメールが流出し、ウィキリークスから公表された。公表された中からは、ヒラリーがウォール街の証券大手ゴールドマンサックスの社員集会で講演した際の発言内容や、講演料 22 万 5000 ドル（約2500 万円）という破格の金額を受け取っていたことが判明する。クリントンの対立候補であったトランプ側の支持者が、ウォール街のエリートによる富の独占に反対する中間層・貧困層であったこと、また、それ以前からも、"クリントン・キャッシュ"とし

てカザフスタンの資源開発などに関連して夫のビル・クリントン
が受け取った講演料などが取り沙汰されていた中での、このリー
クは、ヒラリー候補（当時）への追い打ちとなった。

　これらのメールハッキングとは別に、ロシア側はSNSを通じ
たデマを含めた情報拡散による世論操作の工作活動も行っていた
とされる。ロシアのインターネット・リサーチ・エージェンシー
（IRA）という会社が、アメリカ国民の世論形成にネットメディア・
SNSを通じて介入したとされている。IRAは2年間で、8万件
のFacebook投稿、5万ものボットアカウントを使った140万件
のツイートなどを通して、2億8800万の閲覧数を獲得する工作
をした。

　ヒラリー・クリントン自身の回顧録では、こうしたロシアの介
入よりも、自身が国務長官時代に個人メールアカウントで国家の
機密情報を扱ったとする疑惑についてのFBIによる捜査と、マ
スコミ報道によるネガティブイメージが選挙戦における敗因だと
している。

　なお、2016年の大統領選挙におけるロシアの介入は、トラン
プ側が共謀した取り組み（「ロシアゲート」と呼ばれる）であっ
たとして、トランプの大統領就任後も議論を呼ぶ事態が継続して
いたが、2019年3月になって司法長官が、共謀や連携を示す証
拠は示されなかった、と結論付けている。ロシアの介入そのもの
については、ロシア連邦軍参謀本部情報局（GRU）の情報部員
が2018年7月に起訴されているが、トランプによる関与はなかっ

たというのが米国司法の結論だ。

　いずれにせよ自国の世論形成に他国が介入してくることについて、十分な予防策が必要な状況となっている。日本も例外ではない。

　陸海空では、尖閣諸島などをめぐる中国の漁船の領海侵入や自衛隊戦闘機のスクランブル発進が行われているが、そこだけではなく、メディア・SNS等の認知空間やサイバー空間も含めたハイブリッド空間における安全保障の体制や仕組みを整備していくことが喫緊の課題だ。そもそも先述した、放送事業者への外資規制が敷かれているのも、こうした他国に利する特定情報を回避するためであるが、監督官庁との接待癒着などを含め、リスクが野放しになっている状況だ。

●ロシア軍のサイバー部隊

　ロシアのサイバー部隊はさらに2016年において、Brexit（ブレグジット）を決定したイギリス国民の住民投票への影響工作も行ったとして、イギリスの内閣によって糾弾されるなど、他国の選挙への積極的関与が疑われる。

　ロシアのサイバー部隊は、GRUとプーチンもエージェントとしてかつて所属していたKGBの後進組織であるFSB（ロシア連邦保安庁）に1000人程度の部隊が編制されているとされる。ただし、GRU、FSBともに非正規軍をコントラクターとして雇っているとされる。またFSB、GRU以外にも対外諜報機関の

SVR、プーチン大統領直属のナショナル・ガードにもそれぞれサイバー部隊があり、さらにコントラクターも含めると、相当な数に上り、中国の17万5000人、北朝鮮の6800人といった数を参考にした作戦の規模からいっても、実質的には数万人以上の規模にのぼることだろう。

●アメリカのサイバー攻撃能力

先述したイランの核施設攻撃では、コンピュータに侵入するだけではなく、侵入した後に管理者権限を奪い、さらには遠心分離機の制御システムそのものの挙動を変更し、その挙動の異常状態を表示させない細工までしている。これらを行うために、コンピュータのOSや制御プログラムの未知の脆弱性を突いている。未知の脆弱性を突いた攻撃のことを、ゼロデイ攻撃と呼ぶが3章で詳述する。

このように大規模な工作をするために、攻撃可能性のある箇所を見付け、気づかれないうちに施設を破壊するためには、恐らく全く同じ設備・環境を用意して試行錯誤の末、作戦の具体的手法を編み出したと考えられる。

サイバー攻撃を行う際に攻撃者は、①ターゲットを定める、②攻撃方法を考える、③それを実行する、という3ステップが取られる。2ステップ目の攻撃方法を考える際に、ターゲットの持っている環境と同一の環境を用意して、攻撃方法を練る。

NSAも、イスラエル軍と協力して、イランの核施設と同じ環

境を用意し、そこでテストを重ねて、気づかれないように、しかも確実に施設破壊できるマルウェアを作り、それを USB 経由で仕込んだ、という壮大な作戦であったと考えられる。

　試しに、日本の技術で同様なことができるか、考えてみる。いくつかの未知の攻撃可能なプログラム上のバグを発見することはできるであろうが、ウラン濃縮設備の遠隔操作プログラムまで作るのは不可能だろう。

　日本にも原子力発電用のウラン濃縮設備はあるが、原発用と原爆用では濃縮度が違う。通常の天然ウランの核分裂しやすいウランの含有率は、0.7% 程度と言われる。これを原発での利用のために遠心分離機を用いて、3 ～ 5% 程度に濃縮する。原爆用には実用、90% 程度の高濃縮ウランが用いられ、アメリカ軍の原子力潜水艦が積んでいる核融合炉で用いられるウラン濃縮率は、95% 程度と言われている。日本には、原発用の 3 ～ 5% 以上のウラン濃縮技術はない。従って、イランの核施設の遠隔攻撃を考えるために必要な設備を用意できない。

　もちろん、日本がこうした設備を用意可能であるべきか、というのは議論を要する点なので、ここでは、世界では少なくとも 10 年以上前からこうした攻防が繰り広げられているということを指摘するだけに留めたい。

　2010 年のイランの核施設攻撃以外にも、アメリカは、2017 年 4 月、北朝鮮の弾道ミサイル発射実験をサイバー攻撃により、失敗させたと報じられている。さらには、2019 年 8 月には再びイ

ランのミサイル発射機の制御システムをサイバー攻撃により無力化したとされる。この攻撃は、イランによる米軍偵察機の撃墜に対する報復であるとみられている。

●アメリカのサイバー軍の体制

世界最大の軍事大国アメリカはこれまでみてきた、中国、北朝鮮、ロシアのサイバー部隊に対してどのような体制を敷いているのだろうか。

アメリカのサイバー戦力は主に、サイバー軍（USCYBERCOM：ユーエスサイバーコム）、NSA と他にも、CIA が挙げられる。CIA は伝統的に、HUMINT（ヒューミント：人を介した諜報、Human Intelligence の略）を行っているが、近年ではサイバー諜報も強化していることが知られている。特に 2017 年に Wikileaks が公表した CIA の内部文書とされるものでは、iPhone や Android の携帯端末からテキストや音声メッセージを抜き取るスパイツールの存在が明らかになっている。

さて、アメリカのサイバー軍（USCYBERCOM）の陣容について触れていきたい。USCYBERCOM は、2010 年に編制され、現在は日系 3 世のポール・ナカソネ大将が 3 代目の司令官を務めている。ナカソネ大将は、NSA の長官も兼務し、アメリカ軍のサイバー戦力を統率している。サイバー軍の司令官としてのミッションは、「同盟国とのコラボレーションにより、国益を防衛、前進させるためのサイバー空間の計画と作戦を、指揮・同期・調

整することにある」。とされる（USCYBERCOM ホームページ）。

　サイバー軍の 2018 年の公開文書では、直面する戦略的文脈と
して、テクノロジーの飛躍的進歩が進む中、他国からのサイバー
攻撃がますます増加傾向にあること、またテロリスト組織など非
国家の脅威への対応の必要性などが記されている。

　前述したミッションと、この戦略的な文脈通りにサイバー軍が
行った作戦としては大きく 2 つが知られている。2018 年の中間
選挙では、フェイクニュース拡散のアカウントに警告メッセージ
を送信したり、先述の IRA のインターネット接続を妨害したり
するなどの防衛作戦にあたったとされる。また、2016 年にはシ
リアのイスラム系過激派組織 IS に対する通信妨害などの作戦を
行ったと言われている。USCYBERCOM は、アメリカ中央軍や
特殊作戦軍、同盟軍との共同作戦により、IS の掃討に貢献した。
また、2020 年の大統領選においても、選挙への介入工作からの
防衛に尽力することが公表されていたが、果たしてどのような結
果だったろうか。

　サイバー軍の結成は 2010 年だが、1972 年には既に国防総省の
コンサルタントらがサイバー攻撃の脅威を指摘していたとされ、
1998 年には最初期の部隊（コンピュータ・ネットワーク統合任
務部隊）が編制されている。

　現在のサイバー軍の陣容としては 6200 人超と報じられている
（朝日新聞 2020 年 5 月 20 日）。ナカソネ大将の 2019 年 5 月のカ
ンファレンスでの発言によると 132 の部隊が存在し、さらに 20

の部隊を編制予定とのことだ。

　また、サイバー軍の下部組織として、陸軍サイバーコマンド、艦隊サイバーコマンド、第16空軍、海兵隊サイバー空間コマンドがある。陸軍サイバーコマンドだけでも、1万6500人の体制を敷く（US Army Cybercom ホームページによる）。さらには、先述したアメリカ軍の SIGINT 組織である NSA に約3万人の職員がいるとされ、また諜報機関である CIA（中央情報局）にもサイバー空間での作戦部隊がいるため、米国のサイバー部隊総計では最低5万人以上の陣容となるだろう。

●サイバー・スパイ組織の採用

　アメリカのサイバー戦力増強にあたっては、採用力強化の重要性をナカソネ大将やディージー国防総省 CIO が語っている。国防に関わる仕事の選択肢があることを知らない学生たちの間でいかに認知を取り、興味を持ってもらえるかが大きな課題とのことだ。日本の一般企業と同様の悩みをサイバー戦力の統率にあたる司令官も感じている。

　採用を強化しているのは、サイバー軍だけではない。2020年6月には秘密の情報機関であるはずの CIA も、採用プロモーション動画を一般に公開し、もはやオープンに堂々とスパイを募集する時代となっている。

●国防総省の頼るテック企業

　アメリカのサイバー戦力増強について、採用以外に重要なこととして、ナカソネ大将の指摘するのは、民間の重要性だ。その背景となる興味深い数字がある。

　1960年に世界全体の研究開発支出の内、69%が米国内で行われ、その半分以上に当たる、世界の研究開発支出の36%を国防総省が占めていた。この巨額予算の中から、アポロ宇宙船が月に行き、インターネットが開発され、GPS通信が開発されるなどしたわけだ。

　2016年になると、アメリカの全世界の研究開発支出に占める割合は、24%に減少、国防総省分は全世界の4%に落ち込み、シェアは50年で9分の1になった。こうした中、国防総省でも、民間とのパートナーシップが重視され始めるようになった。日本企業がデジタルトランスフォーメーションに取り組む中で行っているオープンイノベーションと似たようなことを国防総省もやっているのだ。

　国防総省においても、世界中の多くの産業の一般企業のように、テクノロジーの戦略的重要性が高まっていることが認識されている。国防総省として、強化するテクノロジーの領域としては、機械学習などのAI技術、極超音速ミサイル技術、遺伝子工学、5G、量子力学などが、挙げられる。これらの開発について、民間との協力が推進されている。

　特に、防衛イノベーション局（DIU：ディフェンス・イノベー

ション・ユニット）において、民間との共同研究が推進されており、民間企業が契約しやすくするために、これまでのガチガチの契約条件を緩和するといった対処も取られ、企業側のハードルを下げる努力をしている。現在では最先端のテクノロジーの多くが民間のテック産業から生み出されており、これは軍事用に転用する取り組みのためだ。

　NSA長官・サイバー軍司令官のナカソネ大将は、民間からの契約職員の重要性も指摘している。アメリカのSIGINTを支援する民間企業としては、パランティア・テクノロジーズ社が有名だ。多数のデータサイエンティストを抱え、ビッグデータの中から犯罪、テロ行為を特定する、といった技術に長けている。ビン・ラディンの制圧にもパランティアがバックアップしていたといわれる。同社はペイパル創業者で、Facebookの取締役でもあるピーター・ティール氏が創業し、現在も会長を務める企業だ。2020年9月にニューヨーク証券取引所に上場し、2021年10月現在で5兆円以上の時価総額が付いている。

●CIA直営のベンチャーキャピタル「In-Q-tel」

　こうした民間企業による国防のための技術開発を、単なるオープンイノベーションのような協業よりもさらに初期段階から支援するのが、CIAが設立したベンチャーキャピタルのIn-Q-Tel（インキューテル）だ。1990年代末にCIAの幹部が、ITが現代社会のあらゆる変化を起こしていること、その中でCIAが民間のイ

ノベーションの速さに対応できていないとの認識から、1999年に設立された。2017年末までに約200社の投資実績がある。In-Q-Telの投資の原資は毎年5000万ドルほど、CIAにより出資されている。初期の投資先の一つには、現在はGoogleに買収され、Google earthやGoogle mapの元となった技術である衛星地図ソフトを開発したキーホール社がある。当時はアフガニスタンやイラクで戦争が行われており、国防総省の専用衛星が取得した画像を3D処理して軍事作戦を支援するソフトに同社の技術が転用された。キーホール社のGoogleへの売却はGoogle株とキーホール株の株式交換によって行われ、GoogleのIPO後にIn-Q-Telが売却した際には260万ドル（約3億円）の売却益が出たと推測されている。

　前述したビン・ラディンの制圧をバックアップしたとされるパランティア・テクノロジーズ社もIn-Q-Telが2005年に出資している。

　パランティア・テクノロジーズ社が初期に通信傍受のビッグデータで培ったデータ解析技術は、やがて民間企業のデータ解析支援にも使われるようになり、現在は多くの民間企業をデータドリブンな意思決定で支援している。筆者も同社がボーイング社を支援するデータ分析プラットフォームのデモをオフィスに招かれて見に行ったことがあるのだが、そこに、元々は国防目的での投資先企業がやがて民間大企業の成長も支えていくことになる、官・民・軍を横断するダイナミックな投資効果の循環サイクルをみた。

　さらに、In-Q-Tel の近年の投資先の一社を筆者は訪問したこと
があるが、そこはサイバーセキュリティ技術専門のスタートアッ
プ養成機関で、要素技術を持つスタートアップに、プロトタイプ
開発やビジネス的な出口を指導し、国防関連の機関とのビジネス
マッチングまで支援している会社だった。国防を目的として、
CIA が資金を拠出したベンチャーキャピタルが、さらにサイバー
セキュリティのスタートアップのインキュベーションプログラム
でビジネスをする、という技術開発のパイプラインを太くする大
きな仕掛けが組まれているのだ。

　サイバー世界の脅威がますます増大する今、日本でも国防技術
への民間投資としての防衛省ベンチャーキャピタルなどが生まれ
てきてもいいはずだ。いずれは広く、民間企業の成長力を支える
エンジンとなり、国民生活の安全を守るだけでなく、波及的な経
済効果の大きい官製ビジネスとなるはずだ。アメリカでは、ここ
で紹介した CIA が母体の In-Q-Tel 以外にも、国防総省、海軍、
陸軍それぞれがベンチャーキャピタルを単独、もしくは民間との
ジョイントベンチャーによって運営している。

●サイバー空間をめぐる攻防と日本

　さて、これまで国、企業レベルのサイバー攻撃をめぐっての各
国の状況を見てきた。

　改めて、各国で被害の直面するサイバー脅威からの防衛をおさ
らいしてみると次のような攻撃と被害の状況があった。サイバー

攻撃により経営破綻した企業、ビジネス詐欺メールにより巨額を詐取された企業、個人情報の窃取により巨額の補償金と顧客の信用が失墜した企業、巨額の仮想通貨を窃取された企業、身代金との引き換えに業務ファイルの逸失や工場稼働の停止に見舞われた企業、公開前の商品情報の窃取被害に遭った企業。さらには電力供給網や地下鉄の改札システムのダウン、核施設の破壊、通信の切断、SNSでのフェイクニュースによる世論操作、選挙介入など、なんでもありの状況だ。

　金銭的な被害だけでなく、企業の機密情報の漏洩被害や、市民生活に直接影響を与える交通やライフラインのインフラの麻痺、さらには民主政治への介入など、まさに魑魅魍魎が跋扈している世界だと言っていい。

　こういった現状の中、各国のサイバー防衛、SIGINT（通信諜報）にあたる各国の陣容をもう一度おさらいしておこう。

中国：17万5000人
北朝鮮：6800人
ロシア：1000人（ただしGRU、FSBのみ。他の政府機関やコントラクターも含めれば数万人以上規模とみられる）
アメリカ：最低5万5000人以上（USCYBERCOM：6200人、ARCYCOM：1万6500人、NSA：3万人、他CIA、海軍等のサイバー部隊）
日本：220人（自衛隊・サイバー防衛隊）

　こういった陣容は今後ますます拡大していく。例えばNSAでは2019年における2200人の採用計画をナカソネ大将が明かしている。サマーインターンに1万人が応募、その中から300人を選抜してインターンに参加させ、その中から採用しているという。同様にサイバー軍としてもインターン採用を強化していく意向で、職場環境へのフィットを見る意味でインターンに勝る採用方法はないとまで言っている。

　さらに、サイバー軍やNSAのサイバー部隊の養成に使われる訓練プラットフォームを提供しているPoint3フェデラル社のニュースリリースを見ると、1000億円規模の契約を2019年に立て続けに受注していることが公表されており、猛烈な金額を突っ込んで急ピッチで増員していることが窺い知れる。

　なお、Point3社の提供する訓練プラットフォームは、筆者の所属企業を通して日本の政府機関や企業にも提供可能だ。

　民間も軍もインターネット化、モバイル化、IoT化が進み、データ量は指数関数的な爆増を続けている。それを防衛するための人員も加速度的に増やす必要があるわけだ。ましてやアメリカでは、他国から選挙に介入され、防衛の対象はSNSやメディアサイトなど、軍のインフラの外にまで及ぶ。

　対して日本はどうか。自衛隊の中にサイバー防衛隊が2014年に発足。2019年度は220人体制、20年度は70人増員の290人体制を敷くとされていた（朝日新聞2019年10月2日による）。また、

朝日新聞の2019年6月11日の報道では、サイバー防衛隊を含む自衛隊のサイバー関連部隊の合計は430人で、今後5年間で1千数百人まで増やす計画があるとされている。

また、2020年12月に朝日新聞が報じた2021年度の政府予算案で、防衛省のサイバー関連費は301億円と前年度から2割の増額、約540人規模の体制を敷く形に、計画を前倒しにしたようだ。

2021年3月に防衛省初のサイバーコンテストが開催され、人材発掘のための取り組みがようやく目に見える形で始まった。

しかし、これまで見てきた他国の状況に鑑みれば一桁、いや二桁足りない状況にお気づきだろう。デジタル時代の戦力規模としては、かなり見劣りするため、桁違いの体制強化が必要な状況だ。

●自衛隊のサイバー部隊の守備範囲

自衛隊のサイバー防衛隊は、防衛省・自衛隊自らの持つ通信ネットワーク・情報システムの防衛のみを守備スコープにしている。この中でサイバー防衛隊はどんな活動をしているのだろうか。

自衛隊のサイバー攻撃対処として、次の6つが掲げられているのが防衛省ホームページで公表されている。

「①情報システムの安全性確保」は、防衛省・自衛隊のネットワークに適切なファイヤウォール体制を敷いたり、ウィルス検知ソフトを導入したりすることだ。

「②専門部隊によるサイバー攻撃対処」は、サイバー防衛隊、関連部隊による24時間の監視体制のことを指す。

防衛省・自衛隊におけるサイバー攻撃対処のための統合的施策

②専門部隊によるサイバー攻撃対処
●サイバー防衛隊(統)、システム防護隊(陸)、保全監査隊(海)、システム監査隊(空)によるネットワーク・情報システムの24時間監視、高度なサイバー攻撃対処(マルウェア解析)

①情報システムの安全性確保
●ファイアウォール、ウィルス検知ソフトの導入
●ネットワークをDIIオープン系・クローズ系とに分離
●システム監督の実施など

③サイバー攻撃対処態勢の確保・整備
●サイバー防衛演習の実施
●サプライチェーン・リスク対応の措置
●サイバー攻撃発生時の対処態勢の整備

サイバー攻撃対処6本柱

⑥他機関等との連携
●内閣サイバーセキュリティセンター、米軍、関係各国等との情報共有
●NATOサイバー防衛協力センター(CCDCCE)への防衛省職員派遣
●米陸軍サイバー教育機関への連絡官の派遣
●官民人事交流

④最新技術の研究
●サイバーレジリエンス技術の研究

⑤人材育成
●人材育成のため、米国カーネギメロン大学付属機関、国内大学院への留学や各自衛隊の専門課程における教育の実際
●セキュリティ意識の醸成のため、職場における教育、防衛大学校における専門教育の実施
●部外教育の実施

出所）自衛隊ホームページより作成（https://www.mod.go.jp/j/publication/shiritai/cyber/index.html）

「③サイバー攻撃対処体制の整備」は、セキュリティ対策の基準やルールの制定などを指す。

「④最新技術の研究」では、サイバー演習のための環境構築の研究などが行われている。

「⑤人材育成」では、サイバー軍の隊員への教育で、米国カーネギーメロン大学（CMU）への留学研修などが含まれる。本書で、DevSecOpsについて解説するハサン・ヤサールは、CMUのソフトウェア・エンジニアリング研究所の所属だが、自衛隊もここで訓練を受けている。

「⑥他機関との連携」として、内閣サイバーセキュリティセンター

（NISC）、米軍、他国軍などとの情報共有が行われている。

サイバーレジリエンスによる文化・オペレーション・インフラ改革

サイバー世界で、いま起きている攻防、そしてこれからおとずれる AI 社会の脅威についてそれぞれ見てきたが、どのようにして対応していけばよいのか。世界では、サイバーセキュリティではなく、サイバーレジリエンスの対応へとパラダイムシフトが起きている。サイバー脅威に対応するための、サイバーレジリエンスの考え方について本章で述べていく。

●世界経済フォーラムの実態とレジリエンス

　日本ではあまり聞きなれなかったレジリエンスという言葉も、コロナ禍からいかに回復するか、という文脈で2020年から盛んに聞かれるようになってきた。

　また、ダボス会議こと世界経済フォーラム（WEF）創設者のクラウス・シュワブ氏がコロナ禍の状況で7か国語で出版した『グレートリセット　ダボス会議で語られるアフター・コロナの世界』（2020年日経ナショナル ジオグラフィック社）においても、企業経営におけるレジリエンスの重要性について言及されている。

　世界経済フォーラムのミッションは、公式ホームページによると、「官民両セクターの協力を通じて世界情勢の改善に取り組む国際機関です。政界、ビジネス界、および社会におけるその他の主要なリーダーと連携し、世界、地域、産業のアジェンダを形成します。」とのことだ。各国から大統領、首相、大臣クラスの政治家やグローバル企業の経営者など世界のリーダーたちが一堂に会して未来の世界の在り方について議論し、交流を深める場と

なっている。

『グレートリセット』での記述を引用すると "コロナ禍でレジリエンス（回復力）という言葉が、困難な状況でも成功する能力は「なくてはならないもの」として、そこら中で見かける流行語になった。" とある。

筆者も 2020 年 1 月に世界経済フォーラムの年次総会開催中のダボスを訪れたのだが、グローバルのリーダーたちのアジェンダ設定の場として機能しており、世界経済フォーラムがテーマにしているからには今後のグローバル規模の経営テーマとして、"レジリエンス" が重要テーマとなってくるのは間違いないだろう。

筆者が冬のダボスで、肌で受け取った感覚としては、ダボス会議は、"グローバルの様々な大企業や各国政府において、重要とされているアジェンダを吸い上げて、その中で代表的なものをテーマにディスカッションが繰り広げられる場" というよりも、逆に "WEF が設定したグローバル・アジェンダを各国のリーダーたちに持ち帰ってもらう" ことが目的で運営されている場であるように感じた。WEF のミッションに「アジェンダを形成」すると掲げられている通りである。2020 年には SDGs、特に気候変動、ダイバーシティや AI 等の先端技術などが、メインなテーマになっていたように思う。

個人的な話になってしまうが、筆者が隣り合わせたマスターカードの副会長をなさっている女性と世間話をしている中で、子どもがもうすぐ生まれるという話をしたところ、「それならパタ

ニティリーブ（男性の育児休暇）を絶対取らないと！」と強く推奨いただいた。ダボスのような特別な場所で、文字通りのグローバルトップリーダーから、育児休暇は男性も取るべきもの、となんとなく刷り込まれて帰っていく、そういう場が筆者の体験したダボス会議だ。

　例えば、気候変動対応であれば、カーボン・ニュートラルでいきましょう、というアジェンダが先に用意されていて、それを各国出身のリーダーたちに持ち帰らせていく。その中で顕著な取り組みを進めた人が翌年にイノベーティブなことをしているリーダーとして、今度は登壇者として招待され、ダボス会議内でのある種の出世をしていくようなサイクルが回っているように筆者には見えた。あえてスキャンダラスな表現をするならば、世界各国の政官財のトップリーダーに対する集団洗脳の場のようだった、というのが筆者の感想だ。会議の開催期間に現地で吸う空気と報道越しに想像していたものとはかなり違いがあった。

　今後のダボス会議では、ガソリン車を廃止していくこと、電気自動車に切り替えていくべきだという論がますます展開されて、TeslaやCATL（電気自動車用電池のシェア世界トップの中国企業）のような会社が脚光を浴びて発言権が強く、逆にトヨタ、ホンダなどガソリン車メインの日本勢の経営トップたちは肩身の狭い思いをする場となることだろう。こうしてグローバル規模の潮流が作られていく。

　WEFの年次総会は、例年１月にスイスのダボスで開催されて

きたが、2021 年は中止となり、2022 年初めに開催することが発表されている。実は近年、ダボス会議の上顧客は中国企業なのだ。2021 年は中止となったが、年次総会が広義の中華圏であるシンガポールで開催される予定であったことにはあからさまな意図がある。まさにダボス会議も本のタイトルの通り、グレートリセットという様相だ。

そのダボス会議創設者のクラウス・シュワブが、"レジリエンス"について著書でアジェンダ設定をしているので、この概念は今後のサイバー世界の取り組みどころか、経営アジェンダの重要テーマの一つとして数えられることになっていく。

こうしたグローバルレベルの大所高所でのレジリエンスの流れがある中で、サイバーレジリエンスとはどのようなものか、その必要性とアプローチについて本章では述べていく。

なお本章の内容は、2019 年 12 月に慶應義塾大学で行われたサイバーセキュリティ国際シンポジウムにおいて、サイバーレジリエンスについての米国内の権威的存在である、元・米国防総省CIO のリントン・ウェルズ博士（現・ジョージメーソン大学C4I& サイバー研究所 エグゼクティブ・アドバイザー、レジリエンスジャパン特別顧問）と筆者が行ったパネルディスカッション「Cyber Resilience & DevSecOps」の内容を下敷きに、それに補足、発展させる形で、サイバーレジリエンスが求められる背景とその概念、実践アプローチについて扱っていく。

●サイバーセキュリティよりも注目される サイバーレジリエンスという新たな概念

　まず、サイバーセキュリティよりもサイバーレジリエンスの方が圧倒的に注目されているワードであることを指摘しておきたい。Google の検索などを元にトピックの盛り上がりを可視化できるサービス、「Google トレンド」を用いて、サイバーレジリエンスとサイバーセキュリティの盛り上がりを比較してみた。

　右の図は、アメリカにおける、2004 年から 2021 年 3 月までの「Cyber Resilience」（サイバーレジリエンス）と「Cyber Security」（サイバーセキュリティ）のトピックとしての盛り上がりを比較した指標だ。圧倒的にサイバーレジリエンスの方が注目のトピックとなっていることがわかる。

　世界のトップ企業やそこでのリーダーたちも、サイバーレジリエンスをテーマとした情報発信を行っている。例えば、先述のダボス会議は、2016 年に「サイバーレジリエンスをデザインする」というテーマでのパネルディスカッションを行っている。アメリカの大手証券会社モルガン・スタンレーは、自社のサイバーレジリエンスの取り組みを YouTube にあげ、紹介している。アメリカの保険大手の AIG は、「サイバーレジリエンスを実現するための 7 つのステップ」という文書をウェブ上で公開している。モルガン・スタンレーも AIG も Fortune100 に入る世界のトップ企業に数えられる。

　また、ビジネス界だけでなく米国防総省の CIO ダナ・デイジー

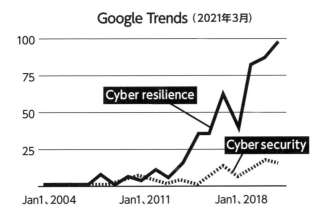

出所）Google Trends (2021 年 3 月に利用)

氏（リントン・ウェルズ博士の後任、後輩にあたる）は「（国防
総省のシステムインフラの）レジリエンスを気に掛けています。
どうすれば、国防総省をよりレジリエントにできるか。」と、
2019 年のカンファレンスで、民間と国防総省それぞれの連携に
よるレジリエンスの強化の必要性についての文脈で述べている。

　国防総省におけるレジリエンスは文字通り国防のためである
が、モルガン・スタンレーや AIG などといった企業がサイバー
レジリエンスの取り組みを発信しているのは、消費者に安心して
自社サービスを利用してもらうために他ならない。モルガン・ス
タンレーの YouTube 動画を見れば、同社のブランディングの強
化のために、サイバーレジリエンスに対する取り組みを発信して

いることがよくわかる。

　同社の責任者は「サイバーレジリエンスとは、不可避のサイバー攻撃に対して準備ができている状態のことだ」と語る。サイバー攻撃は"不可避"であり、必ず起こるものだ、との認識からスタートすることがサイバーレジリエンスの要諦の一つだ。

　世界最大のサイバーセキュリティをテーマとしたカンファレンスである、RSAカンファレンスでもレジリエンスがメインテーマとなっている。

　2020年2月にサンフランシスコで行われた会はコロナの蔓延初期と重なり、IBMが会期直前に出展を取りやめたことで、展示スペースに大きな空白があったのが印象的だったが、3万6000人が参加した。イベント終了後に参加者の内、数名のコロナ陽性者が出たという報道があったことを筆者も記憶している。筆者も2020年のRSAカンファレンスに参加したが、本書に収載した特別寄稿の執筆者のハサン・ヤサール氏（カーネギーメロン大学SEIテクニカルディレクター）と終日行動を共にして、様々な意見交換をした。その結果のひとつが、同年10月に筆者が開催したDevSecOps Daysというコミュニティイベントの東京チャプターで、結果として1500人の参加登録者を集める巨大イベントとなった。実はDevSecOps Daysのサンフランシスコ開催が、RSAカンファレンスのうちの1トラックだったので、その視察がメインの目的での訪米だった。その訪米の結果のもう一つが、本書である。サイバー世界をめぐる社会全体の防犯意識を高める

こと、特に DevSecOps の普及の重要性から、できれば2020年のイベントに合わせて執筆したいという話をしていたが、お互いに多忙を極めて1年越しの執筆となってしまった。

さて、この RSA カンファレンスの2021年のメインテーマは、「Resilience」だった。557のセッションに726人のスピーカーが、サイバーレジリエンスに関連する広範なテーマについて講演と意見交換を行った。

サイバーセキュリティ業界もやはりレジリエンスがキーワードになっていることの証左だ。尚、2020年は、「Human Element（人的要素）」で、サイバーセキュリティを担う人材や組織の在り方がメインテーマとされた。サイバーセキュリティに関する技術そのものよりも、いかに経営者、製品責任者、開発者などのセキュリティ意識を高め、セキュリティチームも含めたチームパフォーマンスを高めるか、といったトピックが多かったことが印象的だった。アメリカでは、既に、なぜ必要か、何をやるか、の議論は終わっていて、どうやるか、つまりどうやって組織全体をトランスフォーメーションしていくか、という議論がメインである印象を受け、早く日本も同じ土俵に立つ必要性を強く感じたことが本書の執筆の強い動機でもある。

●コンピュータのレイヤー構造

さてここで、サイバーレジリエンスをより深く理解するための前提知識として、ハッカーたちがどのようにしてサイバー攻撃を

仕掛けるのか、コンピュータの仕組みから解説していきたい。

　先述した通り、ハッカーによるサイバー攻撃の脅威から重要な個人情報や企業の機密情報、原子力発電所や電車、飛行機、金融サービスなどの重要インフラのサービスを守るために、世界ではサイバーレジリエンスという概念が浸透してきている。

　サイバーレジリエンスの必要性について理解するためには、攻撃者としてのハッカーの思考法とコンピュータの簡単な仕組みの理解が重要だ。

　悪意あるハッカーが攻撃を仕掛けるとき、まずターゲットの選定を行い、攻撃手法を考え、それを実行する、という3ステップを踏む。

　攻撃手法を考える際、ハッカーたちは、コンピュータのレイヤー構造（層を持った構造）の中で、どこに脆弱性があるか考えていく。

　まず、コンピュータを構成するのは、ハードウェアとソフトウェアに大きく大別できる。ハードウェアは、例えばパソコン、携帯電話、iPadなどのタブレット端末などの物理的にみえる形で存在する機器そのものだ。ソフトウェアはハードウェアの内部で実行されるプログラムのことで、OS（オペレーティングシステム：基本ソフト）と、その上で動く様々なアプリケーションがある。

　OSは、例えばiPhoneであればiOS、アプリケーションは、いわゆる携帯アプリのことだ。Facebook、Twitter、インスタグラム、LINE、WhatsAppなど様々なアプリが皆さんの携帯電話の

中にもインストールされていることだろう。

　パソコンで言えば、Windows が OS、その上で動くメール管理
ツールの Outlook や表計算ソフトのエクセル、ウェブブラウザの
Google クロームなどがアプリケーションである。

　アプリケーションの上には、エクセルのアプリケーション上で
動くファイルや、ブラウザでの表示先にあたる、ウェブサイトが
様々ある。私たちが使っているコンピュータは、「ハードウェア」、
「OS」、「アプリケーション」、「ウェブ・ファイル等」で構成され
る4層の構造がある。あまり意識しないかもしれないが、自分が
パソコンや携帯電話を使うときをイメージすれば、違和感なく理
解できると思う。

　さて、サイバー攻撃は、この4層構造の全てにおいて発生しう
るが、多くの攻撃は OS 層とアプリケーション層に対して展開さ
れることになる。例えば、4層目に位置するエクセルファイルの
マクロにウィルスが仕込まれていたとして、その標的は OS 層と
アプリケーション層の機能やデータになるわけだ。

　ある国会議員が、コロナ禍の中でアメリカのシンクタンク組織
からウェブ会議をお願いされた際にサイバー攻撃を仕掛けられた
ことを筆者に打ち明けてくださった。会議前に、特別に用意され
たウェブ会議ツールのインストールファイルのダウンロードとイ
ンストールを指示され、会議を行った後に、それが原因でのウィ
ルス感染が確認されたとのことだ。このケースも4層目に位置す
るファイルを取っ掛かりとして、3層目のアプリケーション（ウェ

ブ会議ツール）を2層目のOS上にインストールさせることに成功し、結果として、関連するデータが窃取された可能性がある。

　この議員とスタッフはテクノロジーに明るく、こうした感染にすぐに気付いて対処を行ったとのことだったが、テクノロジーに明るくない国会議員のほとんどは気づかずに、こうした感染済のパソコンを経由して、他国のサイバー諜報活動に貢献している可能性がある。

●マルウェアとエクスプロイト

　サイバー攻撃の仕組みを理解するために、マルウェアとエクスプロイトについても理解しておきたい。

　マルウェアとは、本書でも既に出てきたが、Malicious Software（悪意あるソフトウェア）の略だから、ソフトウェアの一種だ。4つのレイヤー構造でいうと、アプリケーションに相当するもので、ウェブブラウザやエクセルと同じ層にあるという意味では、広くは同種の働きをするものである。ウェブブラウザやエクセルが自由に便利に色々な情報を閲覧したり、計算したり、それをファイルとして転送したりできることを考えれば、マルウェアも本質的には同種であるから、同様に様々な機能を持つことができる。ただし、マルウェアの場合には、それは悪意を持って、パソコンの中のデータを盗み出したり、暗号化して使えなくしたりと、ユーザーの意図しない動作ができてしまう。マルウェアさえ標的のコンピュータにインストールすることができれば、コンピュータを

完全に乗っ取ることもできる。

　一方、エクスプロイト（exploit）は通常あまり聞きなれない言葉かもしれない。辞書を引くと、名詞の意味として、"偉業"、"手柄"、"功績"といった訳が出てきて混乱するが、元々はハッカーの間で使われていた俗語だ。ハッカーの間で偉業という意味で使われていたものが、攻撃被害に遭う側からすると、弱点であり、悪用可能な脆弱性という意味になる。

　より明確には、エクスプロイトは、脆弱性を突いてソフトウェアの本来意図していない挙動を引き起こすための操作手順のことだ。この操作手順をプログラムとして実装すれば、それがマルウェアとなる。脆弱性とはつまり、ソフトウェアに備わっているバグ（不具合）だ。このバグを使って悪さをする手順をエクスプロイトという。

　先述した国会議員が被害に遭った例でいえば、エクスプロイトの仕込まれたウェブ会議ツールが、実質的にはマルウェアでもあった、ということだ。インストールしたアプリケーションには、データを窃取する手順（エクスプロイト）がプログラムされ、ウェブ会議ツールとしての機能と共にマルウェアの機能も持っていたということになる。

●サイバー攻撃の呼び水となるプログラムの仕組み

　エクスプロイトはOSやアプリケーションなどソフトウェアのバグを突いてくるわけだが、バグが発生する仕組みについても簡

単に触れたい。様々な例があるが、ここではメモリーのバッファ・オーバーフローという事象を用いて説明する。

　コンピュータが処理を行う際には、メモリという記憶装置の役割を果たすハードウェアが使われる。メモリには容量が決まっており、例えば2010年の初期モデルのiPadのメモリ容量は、256ＭＢ（メガバイト）だったが、2021年発売のiPad Pro（第五世代）では最大16GB（ギガバイト）と、10年ほどで64倍も容量が増えている。バイトとは桁数のことだから、16GBのメモリであれば、160億桁の命令文や処理の内容を記憶しておく容量（つまりキャパシティ）を持っているということになる。

　コンピュータが処理を行うときは、メモリ全体の容量から、特定の処理に必要な領域を割り当てる。これは、作業机に例えると理解しやすい。何人かで共有する大きな作業机があったとして、この処理を行う人にはこちらのスペースを、あの処理を行う人にはそっちのスペースを、といった形で、作業のために使うスペースを割り当てていく。ところがその割り当てられたスペースでは足りなくなってしまうと、バッファ・オーバーフローと呼ばれる状態となり、処理がうまくこなせなくなる。あらかじめ容量が決まったコップの水があふれるように、コンピュータの処理が正常に行われなくなる状態だ。人間でも、一週間分ぎちぎちに仕事が埋まっているところに、明日までに終わらせなければならない仕事が、新たに発生したとき、パンクしてしまうだろう。諦めて最初からやらないか、必死に徹夜して体調を崩すかもしれない。こ

の、人間における、仕事が多すぎてパンクしてしまう、という状態がメモリのバッファ・オーバーフローの状態だ。

コンピュータの処理は命令の塊であり、命令文が書かれたソースコードの通りにしか動かない、ある種融通の利かない代物だ。人間同士が同じ作業机を共有して、作業していて、手狭になったら、自分の余っているスペースを他人に譲り渡すといったことを臨機応変に、気を利かせながら働くことができるが、コンピュータは命令文の通りにしか動かず、異常な処理でも命令にそう書かれていればその通りに実行してしまう。これを防ぐには、こうした異常な命令が飛んでくることをあらかじめ想定して、ソースコード上でエラー処理として扱うことだ。

しかし、異常となるパターンには数多くのパターンがあり、全てを適切に処理しようとしても漏れてしまうことがある。例えば、数式の処理をするときに、無限に続く計算を命令すれば、そのコンピュータはいつまでも同じ計算を続け、他の処理が受け付けられなくなる。数式もゼロで割り算をすることはできない、など様々な制約が存在するし、数式として計算するところに、漢字やひらがな、アラビア文字やヒエログリフなど数字でない情報を渡されても、適切なエラー処理がなされなければ、その命令文の処理そのものが破綻する、と考えてもらえればよい。

現在、使われているパソコン上やクラウドサービスのソフトウェアや、携帯のアプリなどは個々の処理の命令文の集積で、サービス全体は何百万行ものソースコードによって動いている。ウェ

ブブラウザの Google クロームであれば約 700 万行、Facebook であれば、バックエンドを除いて 6000 万行以上のソースコードで機能していると言われる。ちなみに、スペースシャトルのプログラムは 400 万行ほどと言われている。1969 年に人類が初めて月に行ったアポロ 11 号のソフトウェアは、6 万 4992 行のソースコードで書かれている。それから半世紀たったいま、ポケットの中の携帯電話の OS とアプリのソースコードを合わせれば、アポロ 11 号の 1 万倍スケールの何億行ものソースコードで書かれたデバイスやサービスを日々使っているわけだ。

さて、コンピュータ処理は無数の命令文で行われ、それらがお互いに依存関係を持っているため、あるケースでは処理が矛盾したりすることもあれば、特定の機能のみのアクセス権を奪ったのち、なんでもできる管理者の権限まで設定変更して、結果としてシステム全体を乗っ取る、というようなことも起き得る。ソースコードが何百万行も何億行もあれば、正常に機能していても想定外の入力を与えたときに異常な処理が行われてしまう不具合も温存されているというわけだ。

こうしたソースコード上の不具合をバグと呼ぶわけだが、ハッカーたちはバグを悪用してエクスプロイトを作っていくのだ。

●バグはなぜ生まれるのか

さて、エクスプロイトは OS やアプリケーションなどソフトウェアのバグを突いてくるわけだが、バグとは何かと言えば、プ

ログラムの持つ不具合である。

　ではなぜ不具合が生まれるのか。それは端的に言ってしまえば、人間が間違いを起こすからだ。つまりプログラムのソースコードを書いたエンジニアが、間違いを起こすのだ。あるいは、潜在的なバグに気づかずに他人のコードを使いまわすのだ。

　こう言ってしまうと、プログラムを書いたことがない人はエンジニアが悪い、使いまわしなどもっての外だと思うかもしれない。しかしながら、現代においては、ソフトウェアに処理させるタスクは益々複雑になっており、その複雑さを回避するためには誰かが作ったプログラムを生かすことが常識になっている。2章でも触れたが、自分ではない誰かが作ったオープンソースを生かしながら、求められる処理を実現するプログラムを作っていくのが現代のエンジニアの仕事となっている。先述した Google クロームや Facebook なども当然、オープンソースを多用しているし、また逆に利用しているソースコードをオープンソースとして公開することも積極的に行っている。

　オープンソースを全く使わないということは、過去に世界中のエンジニアが膨大な時間をかけて開発してきた便利なプログラムを自ら作り上げなければならず、ソフトウェア開発コストが膨大になる。よって、オープンソースを使うのは必須なのだが、このオープンソースにも、自分が書いたコード同様、気づかぬバグが含まれていることがある。オープンソースの開発コミュニティ側も不具合や脆弱性が見つかると、パッチを生成して配布するので、

適切なタイミングでバージョンを上げていればリスクは小さくできる。ただ、そのバージョンを上げるという作業があらかじめ運用時のタスクとして盛り込まれていないことも多く、世間に公表され、ハッカーが容易に狙える状態にありながら、バグが残存されたままになっていることも多い。

　また、そもそも OS はマイクロソフトや Apple が開発したもので、アプリケーションはその上で動くわけだから、OS のバグを突いた攻撃には、アプリケーションだけを開発している者には防ぎようがない。

●日本製OSの開発でサイバー攻撃を無力化する

　逆に言えば、極限までサイバー攻撃の脅威を小さくするには、OS から自前で開発し、その上で動くソフトウェアも全て自前で開発すればよい。さらには、プログラミング言語そのものも、自前で開発すればより安全だ。また、ハードウェアも含めて自前で開発すれば、4 層すべてが自前となり、外部の攻撃者には理解されない仕様の部分が多く、さらにインターネット空間から遮断すれば、サイバー脅威のリスクは極限まで小さくできる、ということになる。

　ただし、これは一企業の単位で取り組むにはあまりにも効率が悪く現実的な解決策とはならない。ましてや、イラン核施設が経験したように、USB を通したマルウェア感染や、ベネッセが経験した内部犯行による情報漏洩など、コンピュータを扱う "人"

までも、完全にコントロールできるかといえば、サイバー攻撃の
リスクをゼロにすることは実質的には不可能だ。

その一方、WannaCry などの大規模サイバー攻撃の多くが Wi
ndows OS の脆弱性を突いたものであることを考えると、サイ
バー攻撃の脆弱性を劇的に減らす有効な手立てとして、日本独自
の OS 開発があることは指摘しておきたい。恐らく数百億円程度
の政府予算で開発できるはずだ。政府機関や重要インフラを独自
OS で動かしていれば、安全性は劇的に増す。一企業では OS か
ら作るということは考えられないが、日本レベルの国家であれば、
十分に有効な手立てとなる上に、実現性も高い。コンピュータエ
ンジニアの人材の長期的育成としても将来にわたって有効だ。

●ゼロデイ攻撃のカラクリ

サイバー攻撃が起こるカラクリを理解する上で、ゼロデイ攻撃
についての理解も欠かせない。ゼロデイ攻撃とは、OS などのソ
フトウェアの未知の脆弱性を突いた攻撃のことだ。

一般にはパッチが配布される、ないしは脆弱性が公表されたタ
イミングで脆弱性を認識するわけだが、実際には危険にさらされ
た状態は、そのソフトウェアが開発された時点から存在している。
危険にさらされた状態は、英語ではエクスポージャーと呼ぶ。

エクスポージャーの期間の起点は、ソフトウェア開発の過程で、
開発者のミスでバグが潜在的に内蔵された瞬間から始まる。多く
のソフトウェア開発工程の現場では、綿密なテストが行われてか

ら、本番利用ないし製品として出荷されるが、どうしてもテスト工程で拾いきれないバグが内在してしまう。この時点では、ユーザーはおろか開発者でさえも、攻撃される可能性を持った脆弱性に気づいていない。やがて、開発者の自助努力やユーザーからの指摘などによって、その脆弱性が発見されることになる。

ソフトウェア製品やコンピュータ言語、オープンソースなどの持つ脆弱性の報告を集め、収集する仕組みがある。アメリカ政府が支援する MITRE という非営利団体が、CVE（Common Vulnerabilities and Exposures）という個々の脆弱性を識別する識別子を発行管理している。MITRE の歴史は、元をたどれば、第二次大戦中のマサチューセッツ工科大学に遡ることができる。独立の団体としての設立は 1956 年という、コンピュータの利用が広まる最初期から存在する組織だ。

CVE の識別子が発行され、脆弱性が公表されることで、開発元は不具合を修正するパッチプログラムを開発し、配布する。ユーザーは配布されたパッチを適用すれば、ソフトウェアが脆弱性を持ち、危険にさらされた状態はそこで解消される。

以上を右の図で、整理している。図に基づいて改めて解説すると、エクスポージャーの期間は開発時からパッチの適用まで。このうち、脆弱性がなんらかの形で発見され、パッチプログラムが配布されるまでの期間を特に、「ゼロデイ脆弱性」と呼ぶ。ゼロデイ脆弱性を突いた攻撃のことを、「ゼロデイ攻撃」と呼ぶ。ユーザーからすれば、何の問題もないと思って使っているコンピュー

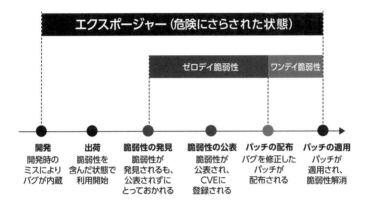

図　ゼロデイ攻撃とは？
出所）筆者作成

タに、実はハッカーだけが気づいている脆弱性を突いて、リモートからコンピュータを自在に操ったり、マルウェアを仕込まれたりすることになる。イランの核施設攻撃に用いられたスタックスネットも、ゼロデイ脆弱性を突いた攻撃を行っている。

　一方、脆弱性が公表され、パッチが配布された後にも、コンピュータの脆弱性は、パッチを実際に適用しない限り温存される。パッチ公表後に、パッチ未適用の状態を「ワンデイ脆弱性」と呼ぶ。ユーザーからしてみれば、脆弱性が公表された日から数えて1日目という意味でワンデイであるが、公表前の脆弱性をゼロデイ脆弱性と呼ぶ。

　ワンデイ脆弱性の危険度もまた高い。世界に脆弱性があることが公表されているため、ハッカーからは攻撃してください、と言っ

ているようなもので、公表されたパッチはなるべく早く適用するに限る。

ソフトウェアエンジニアの世界では、「Patch Tuesday, Exploit Wednesday.（パッチ配布は火曜日に、エクスプロイトは水曜日に）」という言葉がある。Windows の重要な更新プログラムの配布は火曜日に行われることが多い。その火曜日に配布された更新プログラムの内容をみて、旧バージョンにどのような脆弱性が存在していたかをすぐに突き止め、翌日の水曜日にエクスプロイトとして攻撃をしかければ、まだパッチ適用していないところで成功する、ということを示す言葉だ。パッチが配布されたら、それは攻撃チャンス、という意味である。

2章で触れた通り、WannaCry が 2017 年に世界で猛威をふるったが、実は WannaCry はワンデイ脆弱性を突いた攻撃プログラムだった。Windows OS についての脆弱性が公表され、パッチも配布されていたが、未適用の端末で被害が広がった。

日本でも、日立製作所、JR 東日本、イオン、ホンダなどが被害に遭った。2017 年 5 月に公表されたパッチをすぐに適用すれば被害は防げた訳だが、日本企業においては 5 月といえば年度末決算の締めの時期と重なり、パッチを適用して Windows OS を更新することで、決算処理に必要なプログラムに不具合が出ることを恐れて、パッチ適用が遅れ、結果として WannaCry の被害に遭った企業もある。

読者の方も経験があるかもしれないが、Android や MacOS な

126

ど携帯の OS をアップデートしたら、既存のアプリが正常に動作しなくなるといったことがある。公表されたパッチをすぐに適用するには、そのためのシステム運用体制が用意されていることが必須であるが、それにしても既存のプログラムに影響があるかもしれない場合に、綿密に検証している時間を取っている間に対応が遅れてしまうことがある。

　こうした脆弱性への早期対応と、その他の既存プログラムが動かなくなるリスクをどのように天秤にかけて、判断を下すのかというのは、やはりテクノロジーに閉じた問題ではない。事業全体の経営判断である。

（本書では、パッチの配布以降をワンデイ、それ以前をゼロデイと呼んでいるが、脆弱性の公表時点以降をワンデイ、それ以前をゼロデイと呼ぶ場合もある）

●数億円で取引されるゼロデイ攻撃

　MITRE に報告される脆弱性の数の推移は、次ページの図の通り、年間 1 万個以上、平均すれば 1 時間に一つ以上は報告されていることになる。アップダウンはありながらも、増加傾向にあることが見て取れる。仕事や暮らしのデジタル化の進展に伴い、これらの報告数も増えていくことが予想される。

　しかしながら、全ての脆弱性が報告されるわけではない。中には脆弱性を突いたエクスプロイトやそれらをマルウェア化したものをブラックマーケットで売るものもいる。例えば、Windows

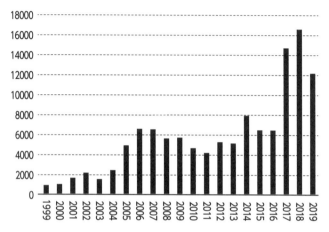

図　MITRE の CVE 発行数の推移
出所）CVE　（https://www.cvedetails.com/browse-by-date.php）

や Android の権限を管理者にまで昇格させるエクスプロイトで
あれば、5000 万円前後、メッセージアプリの WhatsApp や iMes
sage では 1 億円を超える取引もある。

　また、ブラックマーケットでなくても、民間企業でゼロデイを
買い取っている Zerodium という会社がある。Zerodium 社では、
様々なゼロデイ脆弱性を数百万円から最大 2 億 5000 万円ほどで
の買い取り価格を公示している。

　Zerodium 社の顧客とされているのは、各国政府や捜査機関な
どである。NSA や各国のサイバー軍は、未知の脆弱性を公開せ
ずに、自身でみつけた相当数のゼロデイを保持しているとされる
が、Zerodium のような会社など、外部からも調達しているとさ

れる。

　実際のところ、2013 年には NSA が、フランスのサイバーセキュ
リティ企業の Vupen 社に対して「Binary Analysis and Exploits
Service 12 months subscription」（バイナリ解析とエクスプロイ
トサービス　12 か月サブスクリプション）のサービス契約を発
注していることが、情報公開制度から明らかになっている。実は
この Vupen は、Zerodium の前身となる会社で、同じ創業者によっ
て設立されている。Zerodium が高額でゼロデイを買い取り、
NSA などの政府組織に転売していると考えられるし、実のとこ
ろ、Zerodium の公開買い取り価格は、NSA など政府組織から
Zerodium への買い注文の値段を反映した値付けであると考えら
れる。

●世界トップレベルハッカーも自分のパソコンを
　守り切れない

　世界のトップレベルで活躍するあるハッカー（良心的ないわゆ
るホワイトハッカー）に、普段使っている自分のパソコンを守り
切れるか聞いたところ、「国家的組織に本気で狙われたとしたら、
未知のゼロデイ攻撃を仕掛けてくるため、守り切れない」と断言
されたことがある。当たり前に使っている OS などのソフトウェ
アに知らないバグがあり、そこを突かれたら防げないということ
だ。ただ一般の人は、そこまでして狙われる可能性は低く、OS アッ
プデートや不審なメールを開封しないなど、防犯意識を高める意

味での情報セキュリティリテラシーの向上に努めることが良策であるということも話してくれた。

●サイバーレジリエンスとゼロトラスト

　サイバー脅威への対応をめぐって、世界の常識はゼロデイ攻撃が必ず存在すること、そのためにセキュリティをどれほど高めても、必ず突破されることが大前提となっている。このために「サイバーセキュリティ」という概念から「サイバーレジリエンス」の概念へとパラダイムシフトが起きている。

　サイバーセキュリティの概念は、城を守るために防壁や堀を作って守るという考え方に似ている。つまり、コンピュータで言えば、ネットワークへの侵入をさせないための防御壁、例えばファイヤーウォールを構築するような考え方だ。しかし、どんなに堅牢なファイヤーウォールを構築しても必ず穴は生じる。先述したゼロデイ攻撃もそうだし、例えば、ネットワーク内のアクセス権を持つアカウントへの1本のメールをきっかけとしてもそれは可能となる。また、既にアクセス権を持った組織内部の人間が犯人になるかもしれない。

　一方、サイバーレジリエンスは、そうしたファイヤーウォールなどの防御壁は構築しつつも、内部に侵入されることを前提として、むしろ攻撃を受けた際の被害を最小限に抑え、危機状態からより強い防御力へと回復することを前提とした考え方だ。

　塀を築けば守れると考える前者に対して、攻撃被害を前提とし

ていかに回復するか、元の状態よりも防御力を高めるかというの
が後者だ。

　先述したモルガン・スタンレーの担当者も話していることだが、
サイバー攻撃は不可避のことであるため、いかに攻撃がある前提
でそれに対応するか、というサイバーレジリエンスの考え方での
対応にシフトする動きが始まっている。これは逆に言えば、世界
の先進企業では、既にサイバー攻撃被害が実際に起き、十分に経
営的重要性が認識されていて、その原因分析まで含めて行った結
果、必ずまた起こるということが理解されているということに他
ならない。ゼロデイ攻撃を防ぐことはほぼ不可能に近く、内部犯
行の可能性もゼロにできない、となればもう必ず攻撃される、あ
るいは既に攻撃被害に遭っている前提で動くことが正しい状況認
識だ。

　一方で、日本企業の多くにおいては、サイバー攻撃は起きても、
情報システム部や外部ベンダーにお灸をすえて手仕舞いとなって
はいないだろうか。あるいは、既に起きている攻撃被害に気づく
ことさえできていないケースも考えられる。2章で触れたノーテ
ルは数年以上もサイバー攻撃被害を放置していた。

●ゼロトラスト

　繰り返し述べてきたことだが、現代において、ソフトウェアを
安定的に運用してビジネスに生かす、あるいはユーザーに安心し
て使ってもらえるサービスとして運用するには、サイバー攻撃は

不可避で、必ず起きるもので、場合によっては既にハッキングされているかもしれない、組織内部に悪意を持った犯罪者が紛れ込んでいるかもしれない、という前提を持っていることが重要となる。

こうした前提は、「ゼロトラスト」と呼ばれる。文字通り、トラスト（信頼）がゼロということで、何も信頼しない、という意味だ。サイバーレジリエンスの大前提にはこのゼロトラストがある。

ゼロトラストを日本語でわかりやすくいうと、「人を見たら泥棒と思え」という防犯意識をウェブ上やソフトウェアの世界で実践するということである。実際のところ、ゼロトラストの考え方に基づいて、多段階認証を行うサービスがやっていることは、IDとパスワードを知っているぐらいでは信頼せず、携帯電話なども織り交ぜて認証を取るという仕組みである。IDとパスワードだけなら、いくらでもダークウェブ上のブラックマーケットで手に入れることができてしまうものだから、まさに「人を見たら泥棒」と捉えて、本当のユーザーであるかどうか、携帯電話でも確認しよう、というものだ。

特に、「ゼロトラストネットワーク」という場合には、ユーザーやデバイスを信頼せず、必ず認証を取るというネットワーク構成の仕組みのことを言う。Googleが採用しているゼロトラストネットワークについて本章で後述する。

●レジリエンスとは「超回復性」のこと

「レジリエンス（resilience）」の翻訳語に、「回復力」という言葉が当てられることがよくある。先述したクラウス・シュワブの「グレートリセット」でも「回復力」と訳されていたが、少しニュアンスが異なる。回復力という言葉の意味するところは、元のレベルにまで戻る力を意味する。レジリエンスは、元の状態よりもよくなることだ。

激しいトレーニングをすると、筋繊維がちぎれて筋肉痛が発生するが、このちぎれた筋繊維は修復時に、元の状態よりも強靭につながって筋肉が強くなる。一般的に超回復と言われたりするが、この超回復状態がレジリエンスのある状態と言える。元・米国防総省CIOで、レジリエンスについての世界的権威であるリントン・ウェルズ博士は、bounce forward better（前に向かってより良い状態に跳ね返る）と表現している。攻撃を受けて一度後ろに退くが前に向かって、よりよい状態に弾む、ということだ。

ウェルズ博士の提唱するレジリエンスのイメージを図解したものが次ページの図だ。まず、なんらかの破壊が起きた場合、なるべく被害が深刻にならないよう努める。そして、危機状態に陥った場合、そこから許容可能な準平常状態になるべく短い時間で戻る。次にそこで一度安定させ、元よりも良い状態、新平常ラインへと戻る、ということを説明している図となる。

ペンシルバニア大学の元学長で、ロックフェラー財団の会長も務めたジュディス・ローディン氏によれば、「レジリエンスとは、

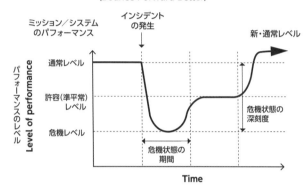

レジリエンスの概念
(Bounce Forward Better)

ミッション／システム
のパフォーマンス

インシデント
の発生

新・通常レベル

パフォーマンスのレベル

Level of performance

通常レベル

許容(準平常)
レベル

危機レベル

危機状態の
期間

危機状態の
深刻度

Time

出所）リントン・ウェルズ「Resilience: Building an Essential Corporate Capacity」(https://blog.nacdonline.org/posts/resilience-part-one)

個人・コミュニティ・組織・自然のシステムといった実在が、破壊に備え、ショックやストレスから回復した上で、破壊的な経験に適応し、成長するための対応力である」という。ローディン氏は心理学者で、元々レジリエンスも心理学の用語でショック状態から、心の健康を取り戻すという意味だったが、いまや国家の安全保障や企業の危機的状況における対応力と成長力を意味する言葉となった。

あるいは自然災害への対応についてもレジリエンスという言葉がよく用いられるようになってきた。また最近では、住宅メーカーなども建材の耐久性をレジリエンスといって説明している。

しかしながら、正確なレジリエンスの概念は、単に回復するわ

けではなく、その経験を通して成長するというのがポイントとなる。レジリエンスという言葉が、「強靭化」と訳される場合もあるが、これでは一度、危機状態に陥ったというニュアンスがなくなり、単に強めるだけのニュアンスとなる。そういった意味で、該当する日本語がないというのが実際だ。レジリエンスのニュアンスが伝わるように、新たに言葉を作って訳すならば、「超回復性」という言葉が相応しい。

　ウェルズ氏によれば、レジリエンスとは、単なる計画ではなく、組織における戦略を含んでいるという。多くの企業でも BCP（Business Continuity Plan: 事業継続計画）といって、組織が災害などで危機状態に陥った際にいかに事業を継続するか、についてあらかじめ計画している。しかし、レジリエンスは、BCP のような単なる計画に留まらず、戦略を含んだ概念だ。つまり危機の発生を所与として、それに適応して成長するための戦略的概念がレジリエンスであるということだ。

●レジリエンスを備えた組織の文化作り

　では、どのように、レジリエンスを持った組織を作っていけばよいのだろうか。ウェルズ博士は、文化・オペレーション・インフラストラクチャの３つの要素でのレジリエンスが重要であると説く。ウェルズ博士の見解を踏み台とさせて頂き、筆者なりの見解を述べていく。

　まず、文化について。これは、組織に所属する人々の行動様式

の基底を成すものだ。組織内のあらゆる人々の行動、出来事への反応など、誰に強制されたわけでもなく自然とそう振る舞ってしまわせるものが、文化だ。

　かの有名な経営学教授のピーター・ドラッカーが「Culture eats strategy for breakfast」（文化は戦略を朝ごはんに食べる）と言ったのは、戦略がどうであれ、社員が何を信じ、どういう価値観を持っているかという文化こそが重要であるという指摘だ。特に近年、メディア業界で躍進するNetflixの競争力の源泉に特徴的な文化があることから、アメリカを中心に組織の文化を重要視する傾向が強くなってきている。

　筆者の個人的な感覚としては、日本の伝統企業には高い倫理観や使命感にあふれた、とても強い企業文化があったし、今もあり続けているように思う。スティーブ・ジョブズが見て、感銘を受けたのは山本耀司氏がデザインしたソニーの工場の制服ではなく、そこに色濃く根付いた高品質な製品を生み出すことのできる勤勉な社員たちであり、その社員たちが共通して持っていた企業文化であった。パナソニックも、水道のように安価で良質なものを大量供給して人々の暮らしの質を向上させようとする水道哲学が有名だ。ハウスメーカーとして業界トップの積水ハウスの企業理念には、「……相手の幸せを願いその喜びを我が喜びとする奉仕の心を以って何事も誠実に実践する事である」という「"人間愛"が根本哲学」として生きている。

　従って、シェリル・サンドバーグ（FacebookCOO）が「Netflix

の文化をまとめた『カルチャーデック』は、シリコンバレー史上最も重要な文書かもしれない」と言おうが、伝統的な日本企業にとっては、何を今さら、というのが本来の反応だろう。

しかし、こうした伝統的で、崇高な色濃い企業文化に綻びが出始めている企業があるとするならば、それはグローバル資本主義の名の下に導入された株主至上主義によるものが大きいだろう。

文化が組織に所属する人々の行動を規定する。株主こそが一番偉いのだ、という価値観が、社会や顧客が最も重要であるとする日本的企業経営の価値観に揺らぎをもたらした。近江商人の三方よしには、「売り手によし、買い手によし、世間によし」という、商売における日本的な美徳と価値観が表れているが、ここにどこからともなくやってきた、株主という第四勢力が、株式市場のルールや、MBAによるエリート教育などを通して、ひずみを生じさせたと考えられる。これは2章で紹介した「認知戦争」を金融資本家勢力が長期にわたって仕掛けた結果かもしれない。

話をレジリエンスに戻すが、揺るぎの無い価値観を柱とした組織の文化が、レジリエンスの確保にとって重要だ。組織内に根付いた逆境に屈しない不屈の精神が、企業のレジリエンシー（レジリエンスさ）を高めることを可能とする。

つまり、サイバー脅威に対するレジリエンス（サイバーレジリエンス）を備えた組織の文化とは、次の3点に集約される。まず、未知の脆弱性の存在や人為的ミスなど、サイバー脅威のリスクはゼロにはできないということを前提とし、そのため十分な備えを

しつつも、狙われたら必ず突破されるという前提を、経営トップから末端の社員に至る組織全体が共通の危機意識として持ち合わせていること。

　２点目に、危機発生時に顧客や市場からの信頼回復やオペレーションの正常化に努めるために、あらかじめリスクを想定し、対応策を練った上で、現実に起きた現象に臨機応変に対応する意識が組織全体に根付いていること。３点目に、実際の危機状態を含めた、これら一連の経験をも組織の成長のための糧となすという意識までも同様に組織全体に根付き、日々の行動に反映されていることだ。

　ソフトウェアに例えれば、文化とはOSのような存在だ。利益を生む日々の事業活動がアプリケーションだとして、その挙動を全て司る駆動装置が、文化たるOSということになる。

●Googleのセキュリティ重視の文化

　例えば、Google ではセキュリティを重視した企業文化を形成しており、それを内外に発信している。Google が発行するセキュリティについての論考（「Google Workspace セキュリティホワイトペーパー」）では、30 ページ近くある文書のまず最初に「Google のセキュリティとプライバシーを重視した文化」について記されている。この文化に基づき、Google ではセキュリティに十分配慮し、入社社員への身元調査の実施、全社員向けのセキュリティトレーニング、フルタイムのセキュリティ専任チームの存在

などを明らかにしている。また文書には、「Google のゼロトラストアプローチでは、……内部ネットワークと外部ネットワークの両方を本質的に信頼できないものと見なします」とあり、ゼロトラストを前提としている。Google もまた、サイバー攻撃は不可避であることを前提に仕組みを整え、それを文化として昇華している。Google のゼロトラストネットワークについては後述する。

●レジリエントなオペレーション

レジリエンス（超回復性）強化のために必要とされる 2 番目はオペレーションだ。発生し得るリスクに合わせ、危機発生時の業務の手順や回復の方法をあらかじめ綿密に備えて計画しておく。サイバー攻撃を受けて初めて慌てて策を講じるのではなく、被害を拡大させない処置を迅速に取り、また原因を追究しながら、完全状態でなくとも、組織を準平常レベルの状態になるべく早く戻す。原因となった問題に対する対抗策を講じ、同様の事象を再発させない新たな業務を構築する。

レジリエントなオペレーションはまず、十分な備えから始まる。震災への対処と同じで、十分な訓練やシミュレーションを行っておくこと、日ごろからリスクを極小化していくことが業務の中に組み込まれていることが重要となる。

オペレーションのレジリエンスを高める活動として、従業員に標的型攻撃メール対策の訓練を行うといったことが好例だ。本物の攻撃者ではなく、訓練用に取引先や社員を装ったメールアドレ

ス・宛先からファイルのダウンロード指示やリンクのクリックなどを促す訓練用のメールを送信し、受信者がどれくらい引っ掛かったかをテストする。2020年前半であればオリンピックのスポンサーチケットを取引先から譲り受け、その希望者にURLのクリックを促すといったような、さもビジネス上、ありそうで、かつクリックしたくなるメールで訓練は行われる。

　また、組織内のシステム構築と運用にあたるエンジニアたちの日々の業務に、公表された脆弱性に対して配布されたパッチ適用作業をなるべく迅速に行える体制を確保することも重要だ。実際にこのようなシステムの運用改善が盤石に整備できている日本企業は、まだまだ稀であるが、日々増大していくサイバー脅威を野放しにして、リスク増大を放置してしまう手はない。脆弱性の発見個数も年々増えていき、多くの企業でいつ重大な被害が起きてもおかしくない。むしろ、重大な事故は既に起きていて、被害の痕跡さえ残っていない状態で、機密情報が漏洩していたり、イランの核施設のように正常運転していると思っていた設備を破壊したりする活動が既に起きているかもしれない。

　また、システムのオペレーションにレジリエンスを担保するには、セキュリティに配慮しながら運用しつつ、新たに開発するというソフトウェア開発の実践手法である、DevSecOps（デブセックオプス）の導入が重要となる。DevSecOpsについては次章で詳述するが、ソフトウェア開発プロセスを高速化させながら、同時にサイバーレジリエンスを高める取り組みのことである。ソフ

トウェア開発の方法論は、ウォーターフォール、アジャイルと進化してきたが、サイバーレジリエンスを強化するためには、DevSecOps が必須となる。

　また、DevSecOps は、産業史上も重要な概念と捉えられるようになっていくと考えられる。歴史を振り返れば、1980 年代にジャパン・アズ・ナンバーワンとして、自動車をはじめとした日本の製造業が世界を席巻した際に、その競争力の源泉として注目されたのは、トヨタ生産方式に代表される、非常に高品質で効率性の高い製造プロセスであった。

　現代において、GAFA などは製品・サービスを年間に何百万〜何千万回の改善を行っているが、このソフトウェア製造プロセスで用いられているのが、DevSecOps やその前身である DevOps というソフトウェア開発の実践方法だ。GAFA については、プラットフォーマーとしてのビジネスモデルにばかり注目されているように思うが、彼らの競争力の源泉は、プラットフォームを保有していることではない。ユーザーの反応や競合の動向に合わせて、常にサービスの改善を高速に繰り返している点にあり、これを可能にしているのが DevOps というソフトウェア開発手法である。より近年では、Google もセキュリティが文化として重要といっているように、DevOps にセキュリティを加えた DevSecOps が重視されている。

　本書では、世界で初めて大学の講義として DevOps を扱ったカーネギーメロン大学のハサン・ヤサール氏による DevSecOps

の解説も収載している。併わせてご高覧頂きたい。

●危機時の対応にあたるCSIRT

さて、DevSecOps のような開発手法を取り入れてもなお、実際にサイバー攻撃によって危機に陥ることは当然ある。サイバーインシデントについて、危機時の対応を行う専門組織を CSIRT（シーサート）という。CSIRT は、Computer Security Incident Response Team の略で、サイバー攻撃による被害に対応する専門チームだ。日本でも、CSIRT を設置する企業も増えつつある。

2020 年に三菱電機で、防衛省の新型ミサイル性能の情報が漏洩した際に、原因究明にあたったのが、同社内の CSIRT 組織である、MELCO-CSIRT（メルコ・シーサート）だ。2012 年に設立され、同社グループ内のセキュリティインシデントへの対応とりまとめ、関係部門の技術支援、外部機関を通した情報収集や共有などを行っている。

三菱電機の情報漏洩は、朝日新聞の報道によれば、セキュリティ対策として導入されていた、アンチウィルスソフトのウィルスバスターの持つ不具合を突いた攻撃であったとされる。2019 年 4月に提供元であるトレンドマイクロ社が、法人向けウィルスバスターが管理するサーバーに重大な脆弱性があることを公表し、パッチが提供されていたが、公表後間もなく中国経由でその脆弱性を突いて情報の窃取が行われたことを、MELCO-CSIRT が突き止めたとされる。いわゆるワンデイ攻撃だ。この事件では、情

報窃取に気づくきっかけとなったファイルを検出したのがウィルスバスターであったが、そのウィルスバスターの持つ脆弱性を突いて攻撃が行われたとされる。近年、アンチウィルスソフトの利用が却って危険であるとの指摘も目立ってきたが、実際にアンチウィルスソフトが原因となって攻撃が行われた例だ。

野村総研のグループ会社、NRIセキュアテクノロジーズが2019年に行った調査によると、対象とした日本企業1794社における、CSIRTの設置割合は35.6%と、まだまだ大半の企業はCSIRTを設置しておらず、検討していない・わからないと答えた企業が全体の半数を超える51%を占めた。

一方、海外企業でのCSIRT設置割合は、アメリカ81.0%、シンガポール83.3%と状況が全く異なる。筆者が本書を記すモチベーションの一つは、サイバー脅威のリスクに対して警鐘を鳴らすことにあるが、残念なことにまだまだサイバー脅威の大きさが企業や政府組織によって認識が進んでいないようだ。

CSIRTは主に危機発生時の対応を行うチームだが、これが設置され、機能している企業とそうでない企業においては、レジリエンス、つまり危機に対応し、成長するためのオペレーションの整備されている度合いが大きく異なる。

加えて、危機から回復し、危機前以上に成長して、新たなオペレーションを確立するためには、究明された原因から、さらに想定される他のリスクをも潰す形で、新たなやり方を考案する必要がある。不確実性の高い時代において、決まりきった業務手順を

守ることが重要なのではなく、それらを日々改善しながら、常に新しいオペレーションを生み出していくことが重要だ。決まりきったオペレーションは、ルールや規則性によってオペレーションできるということなので、RPAやAIなどの機械に任せればよい。

●インフラストラクチャのレジリエンス

文化、オペレーションに続いて、組織のレジリエンス（超回復性）強化のために必要な3つ目の要素は、インフラストラクチャだ。

自然災害への備えを持ったインフラストラクチャで考えてみるとわかりやすい。例えば、地震の対策として、耐震・免震構造の住宅や、津波や河川の決壊を防ぐための堤防、さらには災害時の連絡手段としての地域放送や、避難場所、食料の備蓄などといったものが、災害に備えるインフラと言える。

サイバーレジリエンスを発揮するためのインフラストラクチャに関しては、情報システムそのものを、いかにレジリエンスの度合いを高いものにしていくかが懸案になる。

まず、攻撃そのものを起こさせにくくするための防御が必要で、これには、ファイヤーウォールのように、情報システムのネットワークを守る手立てが伝統的に用いられている。ファイヤーウォールは「防火壁」という名の通り、侵入者を寄せ付けなくするネットワーク上のバーチャルな壁のことである。一例を挙げれ

ば、IPアドレスやサーバーのポート番号を指定して不正な通信を遮断する。ポートとはサーバー内の通信の出入り口で、指定の番号のポートを開いて通信を行う。一般的には、社内ネットワークの通信と、そうでない外を分け隔てるような使い方をする。つまり、社内の通信は安全で、外は安全でないというような考え方だ。

　サイバーセキュリティは伝統的にこの方法が取られてきたが、OSなどソフトウェアのバグを突けば、こうしたファイヤーウォールも突破されてしまう。ゼロデイの未知の脆弱性を突かれることもあれば、公開の脆弱性ながら対策が講じられるまでの隙を突くことなどもできてしまう。そのため、Googleでは、「内部ネットワークと外部ネットワークの両方を本質的に信頼できないもの」と見なすというのは前述したとおりである。

●Googleが始めたゼロトラストネットワーク

　こうした状況から、いくら信頼できる通信だと思っても実際には不正なものが混在してしまう可能性がある。つまり、ゼロトラスト（何も信用できない）という状態となる。ゼロトラストを前提として、構築したネットワークは、ゼロトラストネットワークと呼ばれる。

　ゼロトラストネットワークの考え方は、あらゆるユーザー、機器、ネットワークフローからのアクセスにリスクがあるという前提に立って、都度認証を行うことである。

ゼロトラストネットワークのキーワードとしてよく言われるのが、「Never Trust, Always Verify（決して信用するな、必ず認証せよ）」である。社内での利用ならば安全で、社外ならば危険といった二元論でなく、どんなアクセスでも一度疑って認証を取るということである。

　ゼロトラストになじみのない読者も、この考え方で作られたサービスの利用経験はあるはずだ。身近なところであれば、Amazon や Gmail などもゼロトラストの考え方で認証が取られている。

　例えば、いくら正しい ID とパスワードを入力してきたアクセスでも、別の方法を使って認証が取られる。ボットによるアクセスでないかを判定するために、画像の判定を行わせたり、携帯電話に SMS を送信して、確認番号を入れたりするような仕組みだ。2 章で触れた、セブン・ペイには、このゼロトラストの考え方が無かった結果、特別損失 100 億円を計上して事業が停止している。

　サービスを運営する側にとって、ゼロトラストは実に手間とコストのかかることである。事実、SMS の送信には、通常数円はかかる上に、ユーザーにとっても処理の手間がかかるので、買おうとしていた商品の購入を諦めることがある。これはサービス提供者にとっては機会損失につながる。それでもなお、煩わしい認証を行うのは、緩くすれば不正利用の被害が甚大になり、さらにはサービスの信頼が地に落ち、結果として事業が不振に陥るからである。

サイバーレジリエンスによる文化・オペレーション・インフラ改革

　ゼロトラストネットワークの基本原則は次のようなものだ。

◆ネットワークは常に安全でないとみなす

◆ネットワーク上には、常に外部および内部の脅威が存在する

◆ネットワークを信用できると判断するにはローカルネットワークでは不十分である

◆デバイス、ユーザー、ネットワークフローは1つ残らず認証及び認可される

◆ポリシーは動的であり、できるだけ多くの情報源に基づいて作成されなければならない

　ポイントは、必ず認証するという行為そのもの以上に、そうする理由として、ネットワークは侵入される可能性が必ずある、または既に侵入済みであるかもしれない、と考える点にある。繰り返しになるが、サイバーセキュリティが、ネットワークに侵入されることを必死に防ごうとする取り組みのような語感と意識付けを背景とした言葉であることと、ゼロトラストの前提は全く異なる。ゼロトラストネットワークは、アンチウィルスソフトを入れているから心配ない、ローカルエリアとしてインターネットからは隔離されているから心配ない、といったサイバーセキュリティの取り組みでなされることを、決して信頼しきらないという前提からスタートして、デバイスやユーザーを常に認証するのである。

　ゼロトラストの考え方は、2010年にアメリカのフォレスターリサーチが提唱した考え方と言われるが、それを実際に構築したのは恐らくGoogleが初である。2章でも触れたが、2010年早々

に Google は中国によるオーロラ作戦により、重要な知的財産が盗まれたことを公表している。この後、セキュリティ体制を全面的に見直し、構築されたのが、Google のゼロトラストネットワークとして知られる BeyondCorp だ。時期的にオーロラ作戦のあとに、構築に着手されているので、中国での知的財産の窃取被害に学んだ対策であったと捉えるのが自然だろう。

　Google の BeyondCorp は、社内ネットワークすら外のインターネットと同じように危険な環境であるという想定のもとに作られている。特権的な社内ネットワークが完全に排除され、社員はネットワークのどこからアクセスするかではなく、使っているデバイスとユーザーのクレデンシャル（信用情報）に基づいてアクセスが許可される。これを可能にするために、Google では使用されるデバイス、つまりパソコンや携帯電話、タブレット端末が管理されている。このため、社員は世界中どこからでも社内ネットワークにアクセス可能となっているが、都度認証が取られる仕組みとなっている。BeyondCorp 以前は Google でも VPN（仮想プライベートネットワーク）が使われていたが、段階的な移行プロセスの末、排除されている。VPN とは、仮想的なネットワークの専用回線のことで、通常のインターネット回線を用いていても、十分にセキュリティが担保された通信ができるとされてきたが、Google が完全に廃止しているように、利便性と安全性の双方を考慮して、現在では必ずしもベストな通信方式とはされなくなってきている。

　世界の多くの企業ではコロナ禍におけるリモートワークにおいて、自宅から会社へのVPN接続による不正アクセスが相次いだ。日本でも、住友林業や日立化成など38社が被害に遭ったことが2020年8月に報道されている。また、2020年11月にカプコンから約1万5000人の個人情報が流出したが、これも旧型のVPN装置が原因という調査報告がなされている。

　こうした被害があったVPNでは、社内環境にアクセスするIDとパスワード、IPアドレスがあれば、侵入できてしまう。どのユーザーのどの端末かまで確認してアクセス許可を取っていないためだ。

　セキュリティを高めるために、社内ネットワークに専用線のみを用いて安心している企業がある。社内の通信を行う際に、外のインターネット環境に出ることなく通信が行えるということで安全性が高いと思われがちだが、その社内ネットワークにアクセスするのに、VPN接続のIDとパスワードが流出すれば、突破される。VPNのアクセス情報は、ダークウェブでも取引されており、もしかしたら読者のお勤めの企業のものも既に取引されているかもしれない。

　Googleが、社内ネットワークを外のインターネットと同じように危険なものである、と捉えているのはこのためで、ゼロトラストの思想が、まさにレジリエンスをもったインフラストラクチャの中核となる。

　インフラストラクチャのレジリエンスを高めるためには、ゼロ

Googleのゼロトラストネットワーク
(BeyondCorp)

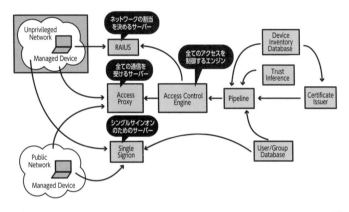

出所）Google (Ward & Beyer) " BeyondCorp: A New Approach to Enterprise Security"（筆者により吹き出しを追加）

　トラストのアクセス認証のほかにも様々あるが、ログ管理も重要である。これは先述した CSIRT が侵入経路や内部での攻撃をどのように行ったのか、ログが残っていなければお手上げとなってしまうためだ。これは建物に賊が侵入した場合、防犯カメラがなければ犯人がいったいどこで何をしていたのかをたどることが難しくなるのと同じだ。防犯カメラを付けるようにシステム内部の行動を追うためにログ管理をする必要がある。

●ユーザ認証をも研究開発に利用してしまうGoogle

レジリエンスを整備するためには、それなりのコストをかける必要があることは、これまでの説明で自明であると思う。GAFAはプラットフォーマーであるから、大量のユーザーがサービスを利用し、そのためのセキュリティやレジリエンスが問題となり、そこに相当の費用や投資を割いていることも間違いない。

しかしながら、ユーザーの認証を理由に、実に賢く他のサービスの研究開発も両立して行っているようにも見える。

ウェブサービスにログインする際に、写真の認識を問われる問題を出されたことはないだろうか。例えば、下図のような写真が表示され、信号機に該当するパネルを選択する、といった問題だ。

これは、ボットによるアクセスを防ぐ目的で、人間にしか回答できないような問題を与えることで認証を取るという仕組みである。しかしながら、Google の認証サービスが聞いてくるのは道路に関する状況に関わるものばかりだ。これは、自動運転の研究開発のために、AI が学習する教師データをユーザーに作成させることに使われているとみて

出所）reCAPTCHA

ほぼ間違いない。自動運転の実現には、画像から正しく状況を理解する AI を作ることが不可欠だ。それには、AI に教えこませるデータが大量に必要で、Google はこのデータを作るために、世界の何十億ものユーザーが日々サービスにログインする際に、この教師データの作成を行っていると考えられる。こうした、画像に何が写っているのかの判別結果を付与することをアノテーションと呼ぶ。

　日本の自動車メーカーももちろん、自動運転開発のためにアノテーションした教師データを作る必要があるが、主にはクラウドソーシングを利用して費用を払って行っている。何十億のユーザーに認証目的で無料でアノテーションさせている Google と、クラウドソーシングで人を雇ってコストを払って同じことをさせている自動車メーカー。戦っている土俵にかなり差がある。

●東日本大震災で明らかになった 　東北電力のレジリエンス

　ここまで、文化、オペレーション、インフラストラクチャの観点でレジリエンスの概念と実践を組織の中に埋め込んでいく重要性についてみてきた。Never Trust, Always Verify というゼロトラストの基本姿勢に象徴されているように、ハッキングされることを前提にゼロトラストネットワークを具備し、さらにはそれでも侵入された場合、あるいは内部犯行に備え、ログ管理も行うことでインフラのサイバーレジリエンスは高まる。さらには日々

のオペレーションの中でも様々なヒヤリハット（冷やりとしたり、ハッとさせられたりすること）や実際の攻撃から成長することをオペレーションに組み込み、組織内に当然の文化として根付かせることが肝要だ。

　本章の締めくくりとして、2011 年の東日本大震災を題材に、東京電力と東北電力のレジリエンスの違いに触れてみたい。

　2011 年 3 月 11 日に襲ったマグニチュード 9.0 の巨大地震では、東京電力の福島第一・第二原発が、津波により深刻な事故に見舞われた。その爪痕は大きく、40 年以上かかるという廃炉作業は今も継続中だ。「想定を上回る」規模の地震と津波が事故の原因と繰り返し発表されてきたことは読者の記憶にもあるだろう。

　1965 年に東電が原発の設置許可を国から取得した際には、1960 年のチリ地震の際の津波の高さである 3.122 メートルを基準としていた。その後、基準を高めるやり取りが国や自治体などとの間で長期にわたって行われてきたわけだが、はたして 2011 年に襲った津波は 15.7 メートルと試算されている。

　2017 年 7 月に公表された国会事故調査委員会の全 600 ページ以上にわたる報告書では、その「はじめに」に次のような文章がみられる。"「想定外」「確認していない」などというばかりで危機管理能力を問われ、日本のみならず、世界に大きな影響を与えるような被害の拡大を招いた。この事故が「人災」であることは明らかで、歴代及び当時の政府、規制当局、そして事業者である東京電力による人々の命と社会を守るという責任感の欠如があっ

た"と。

2017 年の日本学術会議の報告では「（事故当時までの）東京電力は、最新知見ならびに研究段階にある知見も含めて、津波の高さの評価を実施しており、知見を収集するための努力を継続していたと認められる」とされている。十分な努力をしていたと認めるのは結構だが、結果は惨憺（さんたん）たるものであったことは、疑いの余地がない。

甚大な被災地域であった東北地方には、実は福島原発以外にも原発がある。それが東北電力の女川（おながわ）原発である。福島第一原発の北東 120 キロメートルほどの距離の沿岸にある。震災の日には、女川原発にも福島の原発を襲ったのと同等の高さの津波が襲ったとされる。

原子力発電が日本テレビ創業者の正力松太郎らが後押ししながら、日本に持ち込まれたのは、1960 年代のことである。ちなみに、SHORIKI MATSUTARO はアメリカの CIA のリスト（CIA Records – Name Files）に協力者として名を連ねており、アメリカの公文書館のホームページでも閲覧可能となっているが、日本の原発推進の背景における CIA の影響工作については、本論ではないので割愛する。

その 1960 年代の東北電力には、平井弥之助という技術系出身の副社長がいた。女川原発が建設された 1970 年代に平井は既に退任していたが、東北電力の社内委員会の委員として女川原発の安全設計に関わっていたという。

　当初女川原発は、海抜 12 メートルに建設されることになっていたが、平井は 14.8 メートルの高さにまで上げさせた。建設地の高度が上がると、原発の冷却のために組み上げる海水ポンプには、より強力なものが求められ、コストがかさむ。しかし、コスト高になっても平井が 14.8 メートルにこだわったのは、平安時代の 869 年に起きた貞観地震の津波の記録から独自に 14.8 メートルという高さをはじき出したからだという。

　さて、2011 年 3 月 11 日には、13 メートルの津波が女川を襲ったが、平井の功績により、甚大な被害を免れた。地震により 1 メートルの地盤沈下が起き、そこに 13 メートルの津波が襲ったが、平井の設計は 14.8 メートルだったので、80 センチメートルの差で難を免れたのだ。

　レジリエンスとは、危機に対応し、そこから成長するということだ、と述べた。1000 年以上も前に祖先が経験した津波に学び、そこから強靭な原発を設計した、平井弥之助こそ、日本におけるレジリエンスの祖と言ってよいのではないだろうか。

　一方の東京電力は、2017 年の学術会議報告では、この貞観地震を巡っては次のような評価がなされている。

「・東京電力は、地震本部の見解や貞観津波の投稿予定の論文を踏まえ、独自に仮定を置いて津波高さを試算していた。

・東京電力は、貞観津波に関して、堆積物調査の必要性を指摘され、福島県内での堆積物調査を実施し、結果を公表していた

・よって、東京電力は、最新知見ならびに研究段階にある知見も

含めて、津波高さの評価を実施しており、知見を収集するための努力を継続していたと認められる。」とされる。

　情報収集をしていたならば、なぜ対策を取れなかったのか。これは、意思決定の際に大切にする価値観、つまり企業文化に由来するのだろう。

　平井の信条は「技術者には法令に定める基準や指針を超えて、結果責任が問われる」というものだったという。福島と女川の両原発の被害の差は、東京電力と東北電力の文化の違いがもたらした結果ではなかっただろうか。

　サイバー世界におけるレジリエンスも、ビジネス的には、大いにコストとのバランスが問われる。起きる確率がほとんどないものなので、対応しないという合理的な選択もある。しかしながら、自社だけでなく、顧客や地域社会にどれだけの真心を持った経営をするべきかを決めるのは最終的には企業文化だ。サイバー脅威への対応を、テクノロジーの問題と理解するのは一側面で正しいが、リスクに対してどのような姿勢で対応すべきかは、アナログな企業文化が決する。その意味では、サイバーレジリエンスは、単なる技術の問題ではなく、経営理念や企業文化の問題だ。したがって、これは経営者がリーダーシップを発揮するべきものである。

第 **4** 章

DevSecOpsによる
組織の競争力強化と
DX時代のリーダーたちへの提言

本章では、いよいよ DevSecOps（デブセックオプス）を通して、組織のサイバー防衛力と競争力を高める具体的方法について解説する。加えて DX 時代を生きるリーダーたちへの提言をしたい。

●GAFAやTeslaの競争力の源泉は、ソフトウェアの継続改善にある

　3章でみてきたように、企業がサイバーレジリエンスを確保するには、文化、オペレーション、インフラストラクチャの3つの柱が揃う必要がある。

　そして、この3本柱を立ち上げていくために、具体的に取り組むものとして、DevSecOps（デブセックオプス）という、システム開発と運用の実践体系が存在する。

　世界では、ゼロトラストの認識を元に、ネットワーク境界を防御するのではなく、ネットワークの中にさえ、常に攻撃可能性が存在するという前提で対策が取られていることはこれまで繰り返し述べてきた通りだ。その考えに基づき、作ったシステムをいかに守るか、ではなく、いかにセキュリティに配慮しながらシステムを作り上げ、運用していくか、ということに主要なアジェンダが変化してきている。

　この流れを理解する前提として、まず次のようなことをおさえておく必要がある。今日において、いかに顧客に支持され、競合の追随を許さない独創的なソフトウェアを開発し、継続的に進化させるかということが、企業競争力の源泉の核となってきている。

GAFA が開発、提供するソフトウェアは常に進化を続け、例え
ば Amazon であれば、ソフトウェアの機能改善の頻度は年間で
3000 万回にも及ぶと言われる。この継続的な機能改善を高速で
行い、顧客に支持されるものを試行錯誤しながらうまく提供する
ことで、大きな利益を創出している。

　今では 20 億人以上のユーザーを抱える YouTube を例に考え
てみたい。YouTube は元々、無料の動画配信サービスとしてス
タートしたが、やがて広告の提供が始まり、収益化がなされ、さ
らにはプレミアム会員サービスによるさらなる収益化へとサービ
スを転換してきた。無料の動画配信として十分にユーザーに認知
され、多くのユーザーを獲得した段階で、広告サービスとして収
益化を図り、さらにその広告の収益を最大化する過程で、広告の
多さが利用者にとって煩わしく感じられてきたタイミングで、月
額の定額料により、広告なしでサービスを楽しめるプレミアム会
員モデルへという進化を遂げてきている。このタイミングで Yo
uTube にとっては、広告主だけでなく、利用者からも収益を上
げるビジネスモデルに転換がなされているわけだ。ビジネスモデ
ルだけでなく、YouTube の見た目（ユーザーインターフェース）
や投稿者にとっての分析機能など様々な機能改善がなされること
で、20 億人以上のユーザーが利用するプラットフォームとなっ
ている。

　注目すべきは、GAFA などのプラットフォーマーとしてのビ
ジネスモデルではなく、それを可能にしているソフトウェア製造

プロセスの方である。プラットフォーマーがたどり着いたビジネスモデルは、一度作ったサービスを市場の反応を見ながら、試行錯誤していく継続改善の賜物である。プラットフォームの姿にだけ注目するのは、表層を見ているにすぎない。プラットフォーマーとしてのサービスはエンジニアたちがソースコードを書くことによって実現されているからだ。Google では全てのサービスを合わせると 20 億行ものコードがあるという。この 20 億行のコードを書き上げ、さらに高速に改善・拡張していく仕組みがどうなっているか。注目すべきはそこである。

　これを可能にしているのが、DevOps（デブオプス）というソフトウェア開発手法であり、サイバー脅威に考慮してレジリエンス（超回復性）強化のために DevOps を進化させたものが DevSecOps（デブセックオプス）である。

　2020 年 7 月には Tesla が、自動車メーカーとしての時価総額で世界一位となった。あまり意識されずに使われていることが多いかもしれないが、自動車は駆動を制御するソフトウェアの塊で動いている。この自動車を動かすソフトウェアを Tesla は定期的にアップデートし、インターネット経由で更新プログラムを配布している。Tesla 以前の車の制御ソフトウェアは、出荷時点が最終で以後更新されることはなかった。現在においても、ほとんどの車がそうである。10 年前に出荷された車であれば、それは 10 年前のソフトウェアで駆動されているということである。Tesla の場合には、定期的にソフトウェア更新がされるので、購入後も

車は進化していく。

実際に、2017年にはフロリダを襲ったハリケーン被害をTeslaのユーザーが回避しやすいよう、車のバッテリーの容量を引き上げる更新プログラムが配布された。自動車ビジネスは長年、ハードウェアを作り、それを売り切るビジネスモデルであったが、Teslaにとってはソフトウェア更新を続けて顧客のニーズに寄り添ったソフトウェア更新を行っていくことがビジネスモデルに含まれる。世界一の時価総額の背景には、単に電気自動車への期待だけでなく、こうした自動車業界のビジネスモデルの転換がある。このように、YouTube、Teslaなどのテックジャイアント企業を見ていけば、現代において、いかにソフトウェアの継続改善が競争力の源泉となるかは既に自明だろう。

現代において、ソフトウェアは作って終わりではない。作ってからも競合他社よりも、高い顧客満足度を実現するために、常に改善を計画し、なるべく速くそれを実行するスピードが勝負どころとなっている。これを実現するために、TeslaはDevSecOpsを採用し、また同社が募集するセキュリティエンジニアにもDevSecOpsの経験が要求されている。また、Teslaと同じ経営者のイーロン・マスクが進めているスペースXもDevSecOpsで火星にいくためのロケット開発を行っている。活発化が進む宇宙開発も結局はコンピュータ制御と通信のセキュリティが守られなければならず、DevSecOpsによるソフトウェア開発が行われている。

●ソフトウェア開発の常識をアップデートする必要性

さて、ソフトウェア開発において、このように継続的な改善が常識となったのは、せいぜい2010年代以降で、まだ歴史は浅い。そのため、日本においてこのことは一部の成功しているウェブサービス企業を除いては、ほとんど認識されていないように思われる。「ソフトウェアは作って終わりでなく、その後も育て続けるもの」、ということが新たな常識として定着する必要がある。

逆に過去の常識は、ソフトウェアは基本的には作って終わりのものであって、その後改修を行ったとしても、多くは必要に迫られたものが中心であった。

これを理解するために、人類がビジネスにコンピュータを利用し始めたところの歴史から現代に至る過程を簡単に振り返ってみたい。

そもそも、コンピュータが初めて商用にビジネスの現場で利用されたのは、1954年にGEが導入した工場の給与計算であったとされる。これを支援したのが、筆者も10年近く所属していたアクセンチュアの前身であるアンダーセン・アンド・カンパニーだ。当時は給与計算は手計算で行われ、膨大な計算時間と、計算結果の正しさを確かめるチェック作業を要していた。世界初の電卓が開発されたのは、1963年であるからそれより以前のことだ。

1960年代以降、企業現場でコンピュータは、膨大な計算処理、チェック作業、転記作業、帳簿の管理などが必要な場面で大活躍していくことになる。給与計算だけでなく、会計、在庫管理、製

162

造管理、販売管理などコンピュータが多くの現場で人間の作業を代替したり、紙の帳簿管理がデジタル化されるなどしてきた。

1990年代以降においては、ERP（エンタープライズ・リソース・プランニング）という、企業のバックオフィス全体の業務をサポートするソフトウェアが普及するようになった。ERPソフトウェアを開発する代表的な企業がドイツを本拠とするSAPだ。2000年代前半までは、産業界でのコンピュータ利用は、こうした人事、経理などのバックオフィス業務をサポートするソフトウェアが大半であった。

バックオフィスを中心とするソフトウェアの更新頻度は高くない。従業員の給与改定はせいぜい年に一度のことであるし、財務諸表を算出するためのロジックが変わるのは会計原則や税法が変わるタイミングだ。大がかりな変更が毎年要求されるわけではない。

企業におけるソフトウェア開発の常識はこのように、基本的には一度作ってしまえば、あとは必要に応じて年に一度か二度変える、というような頻度であった。現代のAmazonやTeslaやYouTubeのような高頻度のソフトウェア改善は長らく前提とされておらず、2010年代以降のせいぜいここ10年程度の話だ。

●ソフトウェア開発方法論の進化

こうした前提となる更新頻度の違いに、ソフトウェア開発の方法論も対応している。更新頻度が少ないソフトウェアは、ウォー

ターフォール型という開発方法論が採用されてきた。ウォーター
フォール型とは、水が上の段から下の段に向かって堰を切って流
れていくように、設計、開発・テストの工程を、順番に終えてい
くという、ソフトウェアの開発方法論のことを言う。

　ウォーターフォール型のソフトウェア開発は建物の建造方法に
ヒントを得たとされる。つまり、建物の建造においては、何階建
てか、高さは何メートルか、どのような部材を使うのか、といっ
たことが事細かに厳密に設計され、設計書として文書化される。
設計書の通りに建築作業が行われて完成する、というスタイルだ。
間違っても、建てている最中に、天井はやっぱり3メートルにし
てしまおう、だとか、8階建てのつもりだったが、12階建てにし
よう、といったことは起きない。設計が終われば、とにかくその
通りに建てるというやり方だ。これは、一度建築作業に着手して
しまったら、設計段階への後戻りを許さない建て方で、ソフトウェ
ア開発もこれにならってきた。一度作り始めたものを、やっぱり
こっちの方がいい、といってやり直すのは多くの手戻りとなり、
多大な追加コストとスケジュールの遅れ、メンバーのモチベー
ションの低下を招くため、長らく忌避されてきた。むしろ、致命
的な欠陥が無い限りは、当初の設計の通りに作ることが最もよい
やり方として推奨されてきた。

　ところが、現代においては前述したTeslaやYouTubeのよう
に、頻度よく機能アップデートを行えるかどうかが競争力の源泉
であり、富の源泉となっている。こうした市場環境に合わせてソ

フトウェアを更新していくという考え方は、インターネットサービスの発展と共に重要となっていった。

インターネット上のサービスの発展に伴い、登場したソフトウェア開発の手法は、アジャイル開発と呼ばれるものだ。アジャイルとは俊敏であるという意味だが、ソフトウェア開発においては、必要なタスクを短い期間に区切って、当初の計画を見直しながら開発していくようなやり方のことを言う。これは、新しい技術を試しながら、実装するのに相応しいものかを見極める必要性や、一度リリースしたものを顧客の反応や競合のサービス内容に応じて変えるというような要請に対応している。

アジャイルなシステム開発とは、後で直すつもりで最初から作っていくということになる。そうすると必然として、ソフトウェアを開発するチームは、リリース後の運用で直されることを前提として作る必要が発生するが、一方で運用のしやすさを考えることも両立したシステム開発が重要となってきた。つまり、開発（Dev）にあたるチームと運用（Ops）に当たるチームが一体となって、ソフトウェアの開発と運用にあたるという方法論や体制の整備が必要になった。こうして登場したのが DevOps（デブオプス）という開発の手法だ。

DevOps は 2010 年頃に登場した言葉で、まさに GAFA や Netflix のようなウェブサービス企業たちが台頭してきたタイミングと一致する。2008 年のリーマンショック以後、産業界全体で最も富を集積する産業が、金融からテクノロジー企業に移っていっ

た。こうしたテクノロジー企業は、ソフトウェアの開発と運用改善のパワーを武器として、多くのユーザーの支持を集めるプラットフォーム企業たちだ。こうしたプラットフォーマーたちが採用してきた開発方法論が DevOps である。

　折しも、2010 年以降は特にサイバー脅威の重要性が増してきた時期とも重なる。Google が、中国に進出したものの知的財産の窃取被害に遭ったのもこの時期だ。その後、Google が、ゼロトラストを前提としたシステム構築に取り組むことになったことについては、本書で既に述べた通りだ。

　こうした流れを受けて2015年頃になると、DevOpsだけでなく、そこにセキュリティ（Sec）も一体となってシステムの開発と運用していく必要がある、という意味で、DevSecOps という言葉が提唱されるようになった。

●ソフトウェア開発の歴史は自動化の歴史

　簡単にソフトウェア開発の歴史を振り返ったが、ポイントとなるのは自動化だ。そもそも給与計算や会計処理など、人間が実際に行ってきた業務プロセスをソフトウェアに自動化させるところから、ビジネスの現場でのコンピュータの利用が始まっていった。現代のデジタル化のコア技術である AI も人間の行う識別や予測や判断などの仕事を自動化する取り組みだ。DevOps や DevSecOps も同様に、自動化の取り組みと理解してよい。

　先述したように、ウォーターフォール型の開発では、運用が始

まってから大規模に仕様が変わることを前提としていない。その
ためもあって、DevOps、DevSecOps以前のごく最近までシステ
ム開発工程はマニュアルプロセスの塊だった。これは考えてみれ
ば、ある意味滑稽な話で、業務の自動化を進めるためのソフトウェ
アを作るのは、人間の試行錯誤の手作業によって成り立ってきた。

　例えば、システム開発においてテストは非常に重要な工程で、
実現したい機能が本当に実現されているかを試すテスト（機能テ
スト）と、そうではなく、処理スピードなど非機能的要件のテス
トも行われる。テストの精度が完成システムの品質を大きく左右
する。当然、テストに通らなかった場合には、プログラムの修正
が行われ、再テストし、パスするまで本番利用に使われることは
ない。このテストの実施というのは、非常にマニュアルなプロセ
スで行われるのが当たり前だった。

　あらかじめテストのシナリオを作成した上で、決められた値を
入力して、仕様通りの出力が得られるかを一つの機能につき、何
パターンもテストする。個別機能ごとのテスト（単体テスト）を
全てクリアしたら、今度は機能どうしを連携させるテスト（結合
テスト）が行われ、最後にシステム全体のテストが行われる。

　ひとつのソフトウェアの開発全体で、もちろん規模にもよるが、
何万、何十万ものテスト条件にクリアできるか確認していくわけ
だが、ウォーターフォール型の開発では、この作業はほとんど手
作業で行うことが当たり前だった。というのも、一度完全にテス
トに合格してしまい、本番利用が始まれば大規模な機能改善はそ

うそうなく、全ての機能をイチからテストする必要はない。そのため、手作業で一度やるというのが理に適っていた。

　ところがアジャイルやDevOpsの世界になって、本番で稼働しているシステムを運用しながら作り直すことが当たり前になった上では、このマニュアルで行われてきたテスト作業を自動化することが進んでいる。テストを実行するプログラムを開発し、プログラムが正常に終了すれば、パスといった具合で、いくつものテストプログラムを実装し、それに合格するかをみるようなやり方だ。機能の修正前にパスしていたものを、修正後も同じようにパスできるか、あるいは新しく実装した機能が想定通りのふるまいをするかをテストするわけだ。前述したように例えばAmazonで年間3000万回の機能改善を行っているとき、このテスト作業をいちいちマニュアルでやっていたら、いくら時間と人間がいても間に合わない。そのため、テスト工程自体を自動化して効率化を図っているのだ。

　DevOpsの神髄は、こうしたシステム開発工程の中にあるマニュアル作業の自動化だ。1950年代のソフトウェア開発が、煩雑な給与計算を自動化したのと、同じ動機だ。マニュアルでやっていては、ミスも発生するし、人手もかかり疲れる上に、反復作業ではモチベーションも上げづらい。一方、機械は命令通りにしか動かず融通は利かないが、与えられた命令は正確に処理してくれるので、ソースコードを書いて機械に任せよう、ということだ。

　さらに、DevOpsやDevSecOpsによる、システム開発工程に

おいて、自動化が進んだものには、テスト工程以外に、インフラ
ストラクチャの構築作業がある。かつては、ソフトウェアを動か
すためのハードウェアは、必要なスペックや台数を見積もり、メー
カーに注文して、数か月先の納品を待ち、開梱して設定作業をマ
ニュアルでやっていく、というのが当たり前だった。

　AWSやマイクロソフト、Google、IBMなどが提供するクラウ
ドサービスは、こうしたハードウェアを資産として購入して、設
定して運用するのではなく、サブスクリプション型でユーザーが
借りて使うという形式でサービス提供されている。これにより、
ハードウェアを確保し、設定作業を行うことも、自動化すること
もできるようになった。いまでは、ソースコードを書けばハード
ウェアを立ち上げ、機能させることができる。ハードウェアまで
もあたかもソフトウェアのようにソースコードを書くことで扱え
るようになってきているのだ。こうした自動化を「インフラスト
ラクチャ・アズ・コード（Infrastructure as Code）」と呼び、し
ばしばIaCと記述される。

　IaCによって、インフラの立ち上げは非常にスピーディになっ
た。一度機能するIaCのコードを書いてしまえば、マニュアル
で設定作業することなく、同じコードを再利用すれば簡単に必要
なハードウェアを確保することができる。

　DevOpsやDevSecOpsの世界では他にも、エンジニアが書い
たソースコードを本番環境に移す作業（「デプロイメント」と呼ぶ）
も自動化が進んだ。ウォーターフォール型の開発においては、本

番のプログラムを高頻度で更新することはなかったため、これらの作業もマニュアルで行われていた。継続的に機能開発を行い、それを開発環境やテスト環境から本番環境に移管していく作業もDevOpsの世界では自動化されている。こうした自動化は、「継続的インテグレーション・継続的デプロイメント（またはデリバリー）」（Continuous Integration/Continuous deployment, delivery）と呼ばれる。一般的には頭文字を取ってCI/CDと呼ばれる。

　DevOpsの真髄は自動化であるから、システム開発と運用工程にあるマニュアル作業を徹底的に自動化し、高速に新しい機能をユーザーに届けることを目指している。以上述べたことが、2010年頃以降浸透してきたDevOpsが実現していることだ。10年程で目覚ましい進化を遂げた。DevSecOpsは2015年頃に登場したが、あくまでDevOpsにセキュリティを足したものなので、当然DevOps同様の自動化が前提とされている。

　DevSecOpsはDevOpsにSecurity（セキュリティ）を加えたもので、開発・運用工程にセキュリティ関連の作業を組み入れ、さらにそれを自動化していこうとする取り組みだ。後ほど詳述する。

　さて、一般化するとDevOpsのライフサイクルは右の図のようになる。ソフトウェア開発は、企画・設計・開発・テスト・運用という5つの開発工程を踏む。これが現代ではサイクルのように、運用からまた企画へ、といったようにループして続いていく。一度作って終わりではなく、企画から運用に至るプロセスを何度

DevSecOpsによる組織の競争力強化とDX時代のリーダーたちへの提言

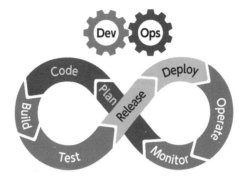

●開発(Dev)と運用(Ops)の一体化　●徹底した自動化
●継続改善　●2010年頃〜

図　DevOps のライフサイクルと要諦

も繰り返していくことになる。何度も繰り返しが起こるので、なるべく自動化をするために、テストの自動化や IaC、CI/CD などが実践されている。

●高速の継続改善を可能にする
　マイクロサービス・アーキテクチャ

DevOps と、セキュリティを加えた進化版である DevSecOps は、ソフトウェアの高頻度・高スピードの継続改善のために、開発・運用工程の自動化だけでなく、開発するソフトウェアの構成、つまりアーキテクチャのあり方も進化させている。

それが、マイクロサービス・アーキテクチャと呼ばれるソフトウェアの構成だ。プラットフォーマーと言われる Google、Amaz on、Facebook、Apple、Netflix などといった企業を始め、アメリカの大企業の多くで、共通してこのマイクロサービス・アーキテクチャが採用されている。

　マイクロサービス・アーキテクチャとは、一つのビジネスサービスを実現するのに、その部分を構成するサービス単位で小分けにされたソフトウェア構成のことだ。反対の概念がモノリシック・アーキテクチャだとか単にモノリスと呼ばれる。モノリス（monolith）は単調、モノリシック（monolithic）は単調的ということだが、一つのソフトウェアサービスに必要な機能が混在している構成だ。

　あるビジネスサービスをソフトウェア開発によって実現したいとき、多くのケースでは、①UI（ユーザーインターフェース）、②バックエンド処理、③データベースの３点セットの機能構成が必要となる。画面として表示されるものが、①のUI。それを裏側で処理するのが、②のバックエンド処理。②の処理をするのに、データを格納したり取り出したりするところが、③のデータベースだ。

　例えば、メッセージアプリのLINEであれば、①のUIでは、スマホの画面で友達Aに好きなメッセージや写真を送ったりする操作ができる。②のバックエンド処理は、①での操作に基づき、友達Aのアカウントに向けて、メッセージや写真を送信する処理が行われる。その際、③のデータベースから友達AのIDなど送信に必要なデータを取り出すことになる。LINEには他にも、

友達の追加や検索など ID に関する機能、ニュースやウォレット、ゲームの機能などが実装されているが、これらも同様に① UI、②バックエンド処理、③データベースで構成される。

　モノリスでは、これら①〜③が、メッセージ送信、友達管理、ニュースなどの機能を横断して、UI ならば UI でひとまとまりに、バックエンド処理でひとまとまりに、またデータベースも機能横断で共通に持つようなソフトウェア構成を取る。またエンジニアのチーム構成も、UI、バックエンド処理、データベースの単位で構成される。

　マイクロサービスはこれら①〜③に横ぐしを刺す形で、ひとつの機能の中に①〜③を持つことになる。例えば、メッセージ送信のチームに、UI エンジニア、バックエンド処理のためのアプリケーションエンジニア、データベースエンジニアを持ち、このチームは友達管理など他の機能にはタッチしない。他にも、友達管理のチーム、ウォレットやゲームの機能それぞれに、①〜③を実装するエンジニアが構成される。

　Amazon では、マイクロサービスを実践する上で、Two Pizza Rule（ピザ2枚ルール）という有名なルールを採用している。1チームの人数は、ピザ2枚でメンバー全員がおなかいっぱいになるぐらいの大きさにコントロールするというものである。だいたい5人からせいぜい10人までというところだろう。この5人から 10 人が小分けになった機能の、UI、バックエンド処理、データベースを実装することになる。

DevOps も DevSecOps も継続改善のスピードを高速化することが求められているが、こうしたマイクロサービスの構成単位とチーム体制のあり方は、理に適っている。仮にモノリス型で UI、バックエンド、データベースの単位でチームを構成し、機能の実装を行うと、先述の LINE の例で喩えると、ウォレットの機能改善を意図した改変でも、そこに関係のないメッセージ送信の機能やニュースの機能に影響を与える可能性が出る。そのため機能変更する際にその影響分析や設計、開発に考慮事項が多くなるため、余計な時間がかかってしまう。ところが、ピザ 2 枚で十分の 5 人から 10 人チームで全てが完結するならば、モノリスで①〜③のチームにそれぞれ何十人ものエンジニアがいて、それぞれ調整しなければならない場合よりも、スムーズにソースコードの改変を行うことができる。こうした、各マイクロサービスが独立して機能改善をしていけることを、独立デプロイ可能性（independent deployability）と呼ぶ。各マイクロサービスの独立デプロイ可能性が担保されていて、5 人から 10 人程度のチーム内で、影響範囲の検証を閉じることができる上、マイクロサービス間の通信のやり方だけ決めておけばよいので、各マイクロサービスが、共通のプログラム言語やデータベース、ツールセットを用いる必要もなく、技術選択の自由度の幅が高いというメリットがある。

　また、マイクロサービス・アーキテクチャでは、個別のサービスどうしはお互いに疎結合されて、サービス間の通信により全体の機能が実現される。この通信を行う仕組みが API（アプリケー

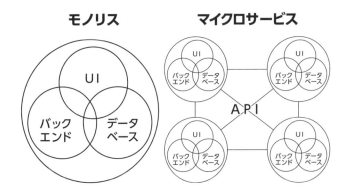

図　アーキテクチャの構成イメージ
出所）筆者作成

ション・プログラミング・インターフェース）と呼ばれる。

　以上みてきたように、DevOps や DevSecOps は、ソフトウェアを高頻度で改善していくために、自動化だけでなくソフトウェアの構成の仕方も小さく小分けにすることで、組織の機動力が確保できるような工夫がされている。

●マイクロサービスとはアメーバ経営のこと

　尚、モノリスがダメで、マイクロサービスが優れているということでは必ずしもない。多くのプラットフォーマーも元々はモノリス型のアーキテクチャで実装してきたソフトウェアを段階的にマイクロサービス化した歴史を持つ。ポイントはアーキテクチャのデザインそのものよりも、常にベストなものに改善し続けるこ

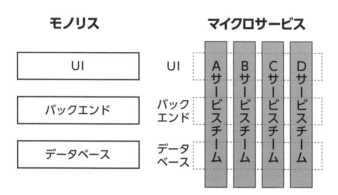

モノリス　　　　　　　　**マイクロサービス**

UI	UI	Aサービスチーム	Bサービスチーム	Cサービスチーム	Dサービスチーム
バックエンド	バックエンド				
データベース	データベース				

図　チーム編成のイメージ
出所）筆者作成

とだ。その結果として、プラットフォーマーを始めとした、北米の多くの大企業では、継続改善をしていきやすいマイクロサービスに移行してきている。Amazonでは少なくとも2001年当時はモノリスの巨大アーキテクチャを運営していたようだ。

　マイクロサービス及び各サービスを運営するチームの数は、Netflixでは1000以上、Uberで2200以上などと言われる。仮に各チームが5人であった場合に、5000人、1万人といった数のエンジニアが働いているわけだが、これをモノリス構造で統率を取るのは実質的に不可能だ。組織全体が巨大になるにつれ、それを小分けにしていく組織構成の方がうまくいく。

　マイクロサービスのコインの裏表の関係にある小規模チーム運営は、日本の伝統企業流にいうならば、アメーバ経営だ。京セラ名誉会長の稲盛和夫氏が導入した小規模組織の集合による大組織

の運営方法で、稲盛氏のオフィシャルサイトでの説明では、アメーバ経営とは次のようなものである。

　"アメーバ経営では、組織をアメーバと呼ぶ小集団に分けます。各アメーバのリーダーは、それぞれが中心となって自らのアメーバの計画を立て、メンバー全員が知恵を絞り、努力することで、アメーバの目標を達成していきます。そうすることで、現場の社員ひとりひとりが主役となり、自主的に経営に参加する「全員参加経営」を実現しています。"

　マイクロサービスとは要は、このアメーバ経営をソフトウェア工学の世界でやることである。マイクロサービスによる組織運営のコンセプトそのものは、日本人のビジネスマンにとって何ら新しい話ではないはずだ。

●誤解されて普及したアジャイル開発

　さて、DevSecOps は DevOps の進化・拡張版だと述べたが、DevOps の方はアジャイル開発の進化・拡張版だ。実際、DevOps について、アジャイル開発に対するイメージと同じ印象を持っている人が多いように感じる。ここで、DevOps についての正しい理解をさらに深めるために、アジャイル開発が目指していたことを明確にしておきたい。

　まず、アジャイル開発は誤解されて世の中に広まった印象がぬぐい切れない。アジャイル開発について誤った理解をしている人が、その誤解の延長に DevOps と DevSecOps を位置付けて捉え

てしまうと、完全に間違ってしまう。

　アジャイル開発への誤解の一つは、行き当たりばったりで開発するものだという印象が持たれている場合があることだ。アジャイル開発が目指していることは極めて明白に文書にまとめられている。

　2001 年にユタ州のスキーリゾートに、ソフトウェア開発者 17 人が集まり、「アジャイルソフトウェア開発宣言」（Agile Manifesto、以後単にアジャイル宣言と呼ぶ）が発表された。全文は日本語でも公開されているが、以下の通りだ。

　"私たちは、ソフトウェア開発の実践あるいは実践を手助けをする活動を通じて、よりよい開発方法を見つけだそうとしている。この活動を通して、私たちは以下の価値に至った。

　プロセスやツールよりも<u>個人と対話</u>を、
　包括的なドキュメントよりも<u>動くソフトウェア</u>を、
　契約交渉よりも<u>顧客との協調</u>を、
　計画に従うことよりも<u>変化への対応</u>を、

　価値とする。すなわち、左記のことがらに価値があることを認めながらも、私たちは右記のことがらにより価値をおく。"

　まず、重視する価値の最後にある「計画に従うよりも変化への対応を」という部分について述べたい。それまでソフトウェア開発の手法といえば、ウォーターフォール型が長年定着してきた。

　しかしながら、ウォーターフォールは「当初の計画に従うこと」
が是とされ、実装したい機能などが後々変化することを嫌う。な
ぜなら後工程で方針を変えると前に戻ってやり直ししなければな
らず、工数がかさむからだ。

　「アジャイル宣言」は、インターネットの発展など技術の変化
が進んでいく時代に、当初の計画通りにシステムを作ることの弊
害がむしろ出始めた時期に発表された。当初決めたことがベスト
でなければ、たとえ後工程だとしても、前に戻って作り直そう、
ということだ。ところが、このアジャイル開発は先述したように、
あたかも行き当たりばったりで考える、あるいは、綿密に要件や
設計を考えずに開発することのように誤解されてしまっている部
分がある。

　アジャイル宣言には、それを支える 12 の原則が続く。その原
則の中には、「要求の変更はたとえ開発の後期であっても歓迎し
ます。」というものがあり、これはウォーターフォールへのアン
チテーゼでしかないのだが、行き当たりばったり開発するような
誤った印象を持っている人が少なからずいる。

　アジャイル開発が目指したことは、単に、「よりよい開発方法
を見つけだそうとしている」ことだし、そのため、ドキュメント
にこだわるよりもとにかく動くものを、といった価値観が表明さ
れただけだ。これを、アジャイル開発は文書化しない、計画を作
らず、走りながら考えるといったような誤解したイメージが持た
れていることがある。

筆者も実際に「我々はアジャイル開発でやるので」といって、計画や設計を事前に考え抜かない広告代理店系の開発ベンダーや、「アジャイル開発はシリコンバレーで当たり前の開発手法で作ったものを潔く捨てるものだ」と力説する外資系調査会社のアナリストにかたはら痛い思いをしたものだ。世間でプロを自任するものの中にも、誤解に基づいて顧客をミスリードすることによってフィーを取る業者がいる。

　アジャイル開発に対してこうした誤解をしていると、DevOpsとDevSecOpsについても見誤ってしまうので、注意が必要だ。アジャイル開発とは、ウォーターフォール型のガチガチな上から下に落としていくだけの開発手法、そして時間のかかる開発を、顧客満足を最優先することで、もっと柔軟にもっとスピーディに行うことを目指したものである。

　こうしたマインドセットはDevOps、そしてDevSecOpsにも受け継がれている。DevOpsやDevSecOpsは継続改善と、それを高速・高頻度で行うためのソフトウェア開発工程そのものの自動化がカギだ。常によりよいものを最速で作り出そうとするものであって、とりあえずやってみてから考える、細かいことは後で、といった話では決してない。

●DevSecOpsの概要

　さて、DevSecOpsを正確に理解するための前提知識は十分に整ったところで、いよいよDevSecOpsについて詳説したい。

　既に述べたが、DevSecOps は DevOps に Security（セキュリティ）を加えたもので、開発・運用のそれぞれの工程にセキュリティ関連の作業を組み入れ、さらにそれを自動化していこうとする取り組みだ。

　下の図は国防総省がまとめた DevSecOps についてのガイドラインからの引用だが一見するに、DevOps のライフサイクルの中心と外側にセキュリティの工程が書かれていることがわかる。図が示すように、DevOps をベースに、それを Sec（セキュリティ）を足すことで発展させたソフトウェア開発手法だ。

●マイクロソフトの脅威モデル 「STRIDEアプローチ」と、シフトレフト

　では、図の外側で Security のタスクとして書かれている、計14個の内容を見ていこう。図の左側が Dev（開発）工程に関連

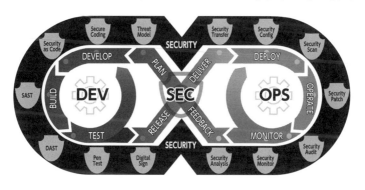

図　DevSecOps のライフサイクル
出所）国防総省「DoD Enterprise DevSecOps Reference Design」

するタスク、右側が Ops（運用）工程に関連するタスクとなっている。左側の Dev（開発）工程からみていこう。

　図の中央上部のやや左には DevOps のライフサイクルとして、Plan（計画）があり、外側にはセキュリティのタスクとして、「Threat Model」（脅威モデル）がある。

　この脅威モデルは、システムの全体像を踏まえて、そこからセキュリティリスクを洗い出し、その回避策を取る、という一連の計画作業のことである。計画段階において、攻撃者の立場に立って、どこに潜在的な脆弱性があるかを分析し、実際に攻撃を防ぐ対策をあらかじめ考えておくことである。

　マイクロソフトは、STRIDE という脅威モデルの観点を提唱している。STRIDE はそれぞれ頭文字を取って、Spoofing（なりすまし）、Tampering（改ざん）、Repudiation（否認）、Information disclosure（情報漏洩）、Denial of service（DoS）：サービス拒否、Elevation of privilege（権限昇格）というものがある。

　攻撃者が、正当なユーザーになりすます余地はないか（S）、データの改ざんが行われる可能性はないか（T）、実際に悪意ある行為を行ったにもかかわらず、それを自分ではないと否認する余地はないか（R）、秘匿されるべき重要な情報が漏洩し得ないか（I）、DoS 攻撃に遭ってサービスが停止しないか（D）、権限を管理者に昇格されて、システム全体が乗っ取られるようなことはできないか（E）、といった観点で、どこが攻撃ポイントになりそうかを洗い、計画段階で未然に防止策を取る。

　DevSecOps の特徴のひとつには、開発工程のなるべく早い段階からセキュリティを意識した対策を行う「シフトレフト」と呼ばれるアプローチが組み込まれていることである。シフトレフトとは、左にシフトするということだが、その意味は、作業計画書上の右の方（開発工程の後ろの段階）でなく、左の方（開発工程のなるべく早い段階）で対策を講じるということである。サイバー攻撃を防止する対策に限ったことではないが、後になればなるほど、新たな機能の追加や変更をする際の工数が大きくなるため、なるべく早い段階からやっておこうというものである。このシフトレフトは、セキュリティに考慮したシステム開発を行っていく上で中心的な考え方を成す重要なものだ。DevSecOps のライフサイクルは、シフトレフトの考え方が前提となっているため、最初に計画の段階から脅威モデルの検討によって脆弱性が起きうる箇所を特定する。

●セキュア・コーディングとセキュリティ・アズ・コード

　Develop（開発）の段階において、脅威モデルの次には「Secure Coding（セキュア・コーディング）」がある。これは文字通り、セキュリティの高いソースコードを書くということである。本書でも既に述べたが、例えばメモリーのバッファオーバーフローを誘発してしまうようなコーディングをあらかじめ排するということである。他にも、開発者の意図しないデータベースへの操作を可能にしてしまう「SQL インジェクション」という攻撃を排す

るためのコードの書き方をするといったことなどがある。どのような攻撃に対応すべきか、というのは、例えばOWASP（オワスプ）という非営利団体がWebサービスのセキュリティ脆弱性のリスクランキングをまとめているが、こうしたリスクをはらんだコーディングをあらかじめ避けるということだ。脆弱性の温床は、ソースコードに存在するのであるから、その脆弱性をソースコードから排する、という考え方だ。

　次に、同じくDevelop（開発）の外側にはSecurity as Code（SaC：セキュリティ・アズ・コード）がある。これは前述したIaCのセキュリティ版ということになる。セキュリティに重要な設定などをマニュアルによってではなく、ソフトウェアとしてコーディングするということで、DevSecOpsにおけるセキュリティ対策を施したソフトウェア環境の構築とメンテナンスを自動化する取り組みのことだ。

●セキュリティテストとしてのSAST・DAST

　再びDevSecOpsのライフサイクルの図（P181）に戻ってほしい。Build（構築）の外側には、SASTとDASTが位置付けられている。SASTはStatic Application Security Testingの略で、静的アプリケーションテストと訳される。一方DASTは、Dynamic Application Security Testingの略で、動的アプリケーションテストと訳される。SASTはプログラムを実際に実行しないで（つまり静的に）アプリケーションのセキュリティテストを行う

ことだ。プログラムを実行しない代わりにソースコードを見て脆弱性を発見する。前述したセキュア・コーディングの中で徹底されていればSASTは全てパスするはずだが、できあがったソースコードに対して、脆弱性がないかを改めてテストする。当然、SASTで不合格ならば、ソースコードを修正する。このようにSASTはソースコードを解析するので、「静的解析」と呼ばれることもある。

　SASTはソースコードをスキャン解析する専用のツールによって行われる。ソースコードを解析して脆弱性を判断するため、SASTには偽陽性が付きまとう。英語ではFalse Positiveというが、脆弱性ありと判断されたにもかかわらず、実際には問題がない状態のことだ。コロナウィルスのPCR検査にも偽陽性が一定割合で必ずあり、陽性は必ずしも感染を意味するわけではないが、SASTにおいても、偽陽性が存在するため、ツールがエラー判定しても、実際には安全なコードであるといった場合もある。

　一方、DASTは動的な解析、つまり実際にプログラムを実行することによってセキュリティ脆弱性を判定するセキュリティテストのことである。実際にプログラムを走らせた結果の判定であるため、SASTに比べて原理的に偽陽性は起きにくい。一方DASTはプログラムを実行させて脆弱性を見つけるわけだが、ソースコードは解析しないので、プログラムから脆弱性が発見されても、ソースコード上のどこをどのように修正すればよいのかは、人間が考えて判断する必要性が生じる。

●ハッキングAI「メイヘム」の仕組みと
　Googleで使われる「ファジング」

　このように SAST と DAST には、それぞれ長所短所があるため、両方を組み合わせて行うことが有効である。SAST がソースコードの中身を実際に見ているため、ホワイトボックス・テストという手法に分類され、DAST はソースコードを見ていないため、ブラックボックス・テストという手法に分類される。

　1章で、DARPA が実施した完全自動化のサイバーセキュリティコンテストである CGC（サイバー・グランド・チャレンジ）でカーネギーメロン大学スピンオフ企業が優勝したことについて触れた。攻撃能力と防御能力を持つハッキング AI と呼ぶに相応しいメイヘムが行っているのは、グレイボックス・テストという手法に分類される。つまり、ソースコードそのものを見ることと、実際にプログラムを動かして実施する両方のテスト手法を混合させている、ということである。メイヘムは SAST と DAST を同時実行するツールということだ。

　メイヘムが DAST としてプログラムを実行してテストを行うのに用いられている技術として、「ファジング」と呼ばれるものがある。ファジングは、自動テスト技術で、プログラムに与える入力を自動生成して、その入力値をプログラムに与えることで脆弱性の有無を特定する技術である。ファジングは Google やマイクロソフトでもソフトウェア開発に用いられている。

　例えば、ウェブブラウザである Google の Chrome では、2017

年から3年間で2万件以上の脆弱性を検出しているが、その8割以上がファジングによって自動検出している。残りの2割は手動での発見や開発コミュニティからの報告などが含まれる。

　ファジングはプログラムに対し、入力としてあえて異常な値を与え、その処理に穴がないかみるものだが、入力値にはありとあらゆる入力パターンが想定されるため、人間が頭で考えて異常値を与えるよりも、機械に任せた方が有利なわけだ。

　例えば、数式の計算のところに、漢字を入れる、ゼロで割り算するなどは異常な計算式のパターンとなるが、正常な値を入力して正常に機能するかを見るよりも多くのテスト条件が存在することになる。また、その無数にあるテスト条件の中からしらみつぶしにテストしていっても、時間もコンピュータリソースも食ってしまう。そのため、メイヘムは、AI技術の一種である強化学習という技術を採用して、ある入力に対する結果を学習しながら次のテストパターンを変えることで効率よく脆弱性を発見している。

　強化学習は、囲碁棋士の世界チャンピオンであったイ・セドル氏に勝利したことで知られる、ディープマインド社のAlphaGo（アルファ碁）が採用している技術である。メイヘムがAIといわれるゆえんもこの強化学習という技術にある。

　メイヘムなど最新のファジング技術の強みは、ゼロデイ脆弱性の発見によって証明されている。先述したSAST、DASTの市販ツールは、世間で知られた脆弱性がテスト対象のソースコード

にも内在していないかをテストする技術という趣が強く、全くの未知の脆弱性であるゼロデイの発見を期待すべきではないというのが現状で、あくまで他の人の失敗を繰り返さないためのもの、という趣が強い。メイヘムが軍事技術として国防総省で採用されている背景には、ゼロデイ脆弱性が発見できるほどの精度があるが、さりとて全ての脆弱性が発見できるとは考えられず、今後サイバー世界の攻防は、脆弱性を発見するAIと、脆弱性をAI以上に天才的に探知することのできる人間との闘いとなっていく。

●CI/CDに組み込まれるメイヘム

　さて、メイヘムがDevSecOpsの中でどのように使われるか、についても触れておきたい。DevOpsもDevSecOpsも自動化がメインテーマであることは既に述べた通りだ。先述した、SASTやDASTの実行ツールも自動でソースコードやプログラムの脆弱性を検出する仕組みだ。メイヘムも同様に自動で脆弱性を発見する仕組みであるが、さらにメイヘムはDevSecOpsのCI/CDの流れに組み込まれている。つまり、右の図にあるように、開発者はソースコードを書き終えると、ソースコード管理ツールに載せ、それが自動でメイヘムを発動し、メイヘムの実行結果を開発者が確認するという流れだ。もちろんマニュアルでメイヘムを作動して、脆弱性をチェックすることもできるが、ソースコードの管理や本番環境への移管の自動化の流れの中で、開発者自らが実行ボタンを押すことなく、自動的にメイヘムの脆弱性テストの結

メイヘム利用の流れ

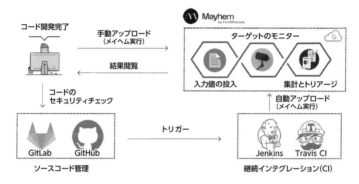

出所）Mayhem Solution Brief を筆者翻訳

メイヘムの実行画面例

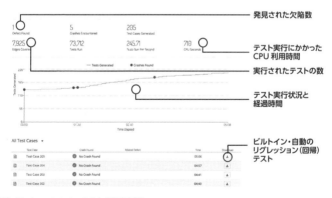

出所）Mayhem Solution Brief を筆者翻訳

果を手にすることになる。このように、脆弱性の確認作業自体も自動化、その作業を始めることも自動で行われるといった具合に、徹底して開発プロセスとセキュリティ対策によるレジリエンス強化を自動化するのが、DevSecOpsである。

●ホワイトハッカーに実際に攻撃してもらうことで弱みを知る

再び、DevSecOpsのライフサイクルの図（P181）に戻ると、Test（テスト）のフェーズの外側にはPen Test（ペンテスト）が示されている。Pen Testとは、Penetration Test（ペネトレーションテスト）の略で、侵入テストと日本語に訳される。

これは、ハッカーが実際に開発したサービスへの侵入を試みてセキュリティホールを発見するテストだ。もちろん、ここでいうハッカーは攻撃を仕掛けようとするが、得体の知れない犯罪者ではなく、サービスの運用者のためにハッキングを試みるホワイトハッカーという種類のハッカーだ。

多くのウェブサービス企業やデジタル化を重視するアメリカの大企業の間では、自社サービスに対して攻撃を試みることで、脆弱性を発見する専門のホワイトハッカーチームを組成している。一般にこれはレッドチームと呼ばれる。ペネトレーションテストは一般にネットワークへの侵入が可能かテストするものであるが、レッドチームはサービス全体への攻撃の試行による脆弱性を発見するチームのことである。

　レッドチームを攻撃側、逆に防御側をブルーチームと呼ぶ。紅組と青組に分かれてサービスの破壊と存続をかけて戦うようなイメージだ。このレッドチームはアメリカの大企業であれば自社で組成しているケースが多いが、それでも外部企業にサービスとして依頼されることも多い。サイバー攻撃力を持った企業に実際に侵入を試行してもらい、脆弱性の状況についてレポートを受け取るサービスだ。

　日本においても今後、この外部への侵入テストやレッドチームのサービスを依頼することが当たり前になっていくはずだ。自社の脆弱性の実態をソースコードレベルで知るためには、ホワイトハッカーに実際に攻撃を仕掛けてもらい、脆弱性をあぶり出した方が実用的な意義が深い。それがそのまま犯罪者としてのハッカーに狙われたときの攻められ方になると考えられるため、あらかじめ手を打っておくことができる。孫子の言う通り、「彼を知り己を知れば百戦殆（あやう）からず」という考え方を採用すれば、レッドチームによる攻撃は必須だ。

●電子署名によるセキュリティ

　DevSecOps のライフサイクル上、左側のタスクとして書かれているものの最後が、「Digital Sign（電子署名）」だ。これは、使っているソースコードの真正性を担保するための仕組みだ。特に国防総省では、後述する「コンテナ」という、ソフトウェアの下層レイヤーをカプセル化して使う技術が採用されている。このコン

テナの上で、アプリケーションエンジニアがマイクロサービスとして実装する機能の開発を行うことになる。国防総省では、このコンテナの設定パターンを数百種類用意している。OSやその上に搭載するミドルウェアなどのパターンがこれだけの種類となっている。これらの設定パターンを「コンテナ・イメージ」と呼ぶが、このコンテナ・イメージが、国防総省で共通に定義された正しいものであるかをチェックするのにデジタル署名を用いている。実際に作り上げたソースコードと、それがカプセル化されたコンテナの電子署名を確認し、有効なものを本番環境にリリースするということになる。

●Opsのセキュリティ関連タスク

　DevSecOps ライフサイクルの図の右側、つまり Ops（運用）側のセキュリティタスクについても確認していく。Deliver（デリバー）、Deploy（デプロイ）の外側に、それぞれ「Secure Transfer（セキュア・トランスファー）」と「Security Config（セキュリティ・コンフィグ）」、「Security Scan（セキュリティ・スキャン）」が示されている。デリバーとデプロイの作業とは、開発者が構築したソースコードファイルをテスト環境から本番環境に移して、いよいよ本番利用する作業のことである。ここで、本番環境への移送が安全に行われるよう担保するのが、セキュア・トランスファー、本番環境のセキュリティ設定を正しく行うことをセキュリティ・コンフィグと呼んでいる。セキュリティ・スキャンは、

本番運用が始まる前の最後のタスクとしてプログラムのスキャンが実行され、本番利用して問題ないことを確認するタスクだ。これも当然、自動で行われる。

　続いて、Ops（運用）側のライフサイクルにOperate（運用）とMonitor（監視）があるが、外側のセキュリティ関連タスクとしては、「Security Patch（セキュリティパッチ）」、「Security Audit（セキュリティ監査）」、「Security Monitor（セキュリティ監視）」、「Security Analysis（セキュリティ分析）」がある。順々に説明していこう。

　「セキュリティパッチ」は、ワンデイ脆弱性として公表された脆弱性を修正するパッチを適用するタスクである。これを即座に行わないと、世間に公表された脆弱性を突いた攻撃が仕掛けれるリスクがある。世界で蔓延したWannaCryがパッチを適用している端末には無力であったことからも、このタスクの重要性は大きい。特に、セキュリティやレジリエンスが重視されていない企業においては、新たに世間で見つかった脆弱性に対してパッチを適用するというタスクがあらかじめ工数として盛り込まれていないことが多い。2016年にサンフランシスコの地下鉄の改札システムがハッキングされた事件も、パッチを当てていれば防止できた。

　運用作業の中には、パッチを当てることの影響を分析し、本番環境に当てる作業を行うことをあらかじめ見込んでおく必要がある。もともとテスト工程自体が自動化されていれば、パッチを当

てた後にテストをして、不合格であれば原因分析をして、対処を
すればよい。しかし、テスト工程が自動化されていないと、パッ
チの適用ひとつとっても、マニュアルで各機能を一からテストせ
ねばならず、影響範囲の確認に非常に手間がかかる。ましてやモ
ノリスなアーキテクチャである場合、影響するかもしれない範囲
が広範囲にわたるため、テスト範囲も大きくなる。マイクロサー
ビスであれば、5人から10人程度のチームの範囲の中におさま
るから、影響分析もスピーディに行える。

　続いて、「セキュリティ監査」は、本番運用中のソフトウェア
とその実行体制のセキュリティについて、定期的に監査を行うタ
スクである。あらかじめチェックリストが用意され、それに対し
てインタビューやアンケート回答などを通して、運用体制に問題
がないか確認する。監査結果はレポートとしてまとめられ、指摘
事項があれば対策を講じる必要がある。

　「セキュリティ監視」は、外部からの攻撃の状況を監視するこ
とである。不正なアクセスがないか、異常な行動を取るユーザー
がいないかといったことを監視する。例えば、サービスへのアク
セスが行われるIPアドレス（インターネット上の住所のような
もの）を監視し、想定されない海外からのアクセスがないかを監
視するといったことだ。DevSecOpsでは、ログの取得も自動で
行い、怪しいログについては自動で検知する。

　自動検出されたインシデントに対して、何が起きているのかを
分析するのが「セキュリティ分析」の作業だ。不正なアクセスは

どこの国からなのか、アクセス後に不審な行動をしていないか、例えばデータの破棄や改ざんが行われていないか、マルウェアを置いていないかといったことを分析する。自動化されたセキュリティ監視にも、偽陽性は存在する。分析作業は偽陽性でないかをチェックしたり、実際に起きてしまったセキュリティインシデントの解析を行うことである。

　セキュリティ監視とモニターの例として、筆者の関わる会社での出来事を紹介したい。ある時、セキュリティ監視のアラートが海外からの不正アクセスが疑われる事象を検知した。社員は全員日本国内からしかアクセスしていないので、海外からのネットワークアクセスはあり得ない。調べてみると、アクセスのあったIDを持つ社員は、やはり当然海外になどいっていなかったため、不正アクセスが疑われたが、当日の社員の行動について報告を受けたところ、不正疑惑のアクセスの時間と本人が東京都内の携帯端末の小売店（外資系）に立ち寄っている時間が重なった。端末の機種変更のために店に立ち寄り、そこでWi-Fi接続した時間がアメリカからのネットワークアクセスのあった時間と重なったのだ。結果としてわかったことは、恐らくその小売店のネットワークの構成上、Wi-Fiにログインするとアメリカ経由で通信が行われる仕様であるためだろうということで、セキュリティアラートは偽陽性であったと判断された。このような不正っぽい動きを検知して、分析し、必要に応じて対処を講じるのが、監視と分析の作業だ。

またセキュリティ監視の中には、組織内部のユーザーの監視も含まれる。乗っ取りによって実は外部者が権限を握っている場合も、また内通者が犯人である場合も考えられる。ユーザー毎の行動ログから怪しい挙動を察知するという、内部脅威に対応する自動検知の仕組みの導入も進んできている。特にアメリカの企業には様々なバックグラウンドを持った社員が交ざっている。当然入社の時点で様々にチェックをかけるが、それでも拾い切れないケースや、あとで競合や他国のスパイにより買収される可能性もある。そのためユーザー毎の行動分析も重要なセキュリティ対策となっている。例えば、Netflix ではオフィスへの入退館、社内システムのアクセスログなどから、社員の怪しい行動を検知する行動分析（behavioral analytics）を実施していることで知られている。

●玉虫色の解決方法に戸惑う先進テック企業

　以上、DevSecOps のライフサイクルとして存在する各タスクを見てきたが、これらをどの程度のレベルで実行するのかは高度な経営判断を要する。ゼロデイ脆弱性の存在を前提とすれば、全てを完璧にすることは最初からできない中で、どのレベルでリスク回避策を取るか、竹で割ったようなきれいな答えでなく、どこで妥協するかという判断にならざるを得ない。これまで記した全てのタスクを実行してもなお、脆弱性はゼロにできず、かけられるコストや時間とのバランスの中での判断となる。100 個のセ

キュリティ脆弱性がみつかっても実際に対応できるのは4個か5個。場合によっては1個か2個かもしれない。ついぞ攻撃されることがないかもしれないセキュリティ対策に使う時間は、サービスのもたらす顧客体験そのものの改善に使う時間よりも優先されないかもしれない。これは競合の状況やサービスへの顧客の反応なども関係する。限られたリソースをどれだけを攻めに使い、どれだけ守りに使うのか、つまりお金を生み出す作業に使うのか、お金を失わないようにする作業に使うのかはまさに経営判断だ。GAFAのような先進テック企業でさえ、日々何に重きを置いて改善を行うかは迷いながら判断しているという。

●DevSecOpsの実践例

　以上、DevSecOpsのライフサイクルを概念的に説明してきたが、理解を深めるために簡単な具体例を使って改めて説明したい。ここでは、1章で述べたSociety5.0で期待されるスマートメーターによる電力データを利用して、宅配業者が、受取人が家にいるか、不在かを判定して、再配達を減らす取り組みを追っていく。

　まず、ソフトウェアの開発は、企画から始まる。DevSecOpsに則った企画とは、サービスを企画した段階で、そこにはどのような脅威が存在するのかをモデル化して検討することから始まる。このサービスで言えば、悪意ある第三者に在宅か不在かのデータが渡ることによる危険性が認識されるべきだ。この危険性の認識に基づき、どのようにしてリスクをなるべく小さくするか、設

計段階で考えていくことになる。例えば、スマートメーターのデータから在宅か不在かを予測するアルゴリズムを利用する際には、住所が特定されないよう、暗号化するか匿名化された ID を用いることが考えられる。こうしてアルゴリズムを開発する企業においては、各データから在宅か不在かはわかっても、それがどこの住所の誰の家なのか、といった情報はわからなくなる。こうした設計に基づき、開発を行う段階においては、まずオープンソースを使うのが常識的であるが、そのオープンソースのバージョンが最新であるものだけを選んで使用するといった対応を取る。また、脆弱性を生み出さないためのプログラムのコーディングにも配慮する。これはセキュア・コーディングなどと呼ばれるが、プログラムの書き方に脆弱性を生まないよう配慮したコーディングを行うことである。開発者のためにセキュアなコーディングの方法を教えるようなゲーミフィケーション型のトレーニングサービスも存在するので、こうしたサービスを利用する。オーストラリア軍が民間のゲーミフィケーション型のトレーニングサービスを利用している。

　無事に満足のいくソフトウェアが開発され、テストする段階においては、実際に個別の家の在宅か不在かの判定結果データを窃取することができないか実際に侵入テストをするといった対応も取る。ホワイトハッカーと呼ばれる、善意の攻撃者に実際に攻撃を仕掛けてもらい、脆弱性が見つかった場合にそれを修正する、といったやり方だ。

テストとプログラムの修正が完了したら、運用の段階に移る。運用に入ったら、ソフトウェアからの情報漏洩がないか、プログラムが書き換えられていないかといったことの監視を行う。また、運用の過程において、使っている OS やオープンソースなどに新たに脆弱性が発見された場合には、それを修正するアップデートを行ったり、配布されたパッチプログラムの適用をタイムリーに行う。

DevSecOps は、セキュリティに配慮することで、ソフトウェア開発のスピードを遅らせるということではない。DevOps や DevSecOps で用いられる前提は自動化が大きなテーマとなっている。例えば新しい機能を追加する際に、行うテストを自動化する、システムの監視からの異常検知を自動化する、といったように、人手を使わない形で、高速にソフトウェア開発を行い、リリースして、改善していくというのが前提である。

もちろん、セキュリティに全く考慮しないでソフトウェアを開発した方がスピードは速くなるが、それでは重大な被害が生じてしまう。セブン・ペイが 100 億円の特別損失を計上したように、セキュリティに対する配慮は必須事項だ。

●DevSecOpsとクラウド

DevOps や DevSecOps という方式でのソフトウェア開発の浸透を語る上で、それらが前提としているテクノロジーについても理解しておきたい。DevOps や DevSecOps の普及の背景には、

クラウドの普及がある。クラウドサービスについては、サーバーを利用者が資産として購入して持つのではなく、クラウドサービス企業が持つサーバーを使った量に応じて料金を払う、というサブスクリプション型のサービスであることを知っている人は多いだろう。これにより、システム開発におけるハードウェアの調達とそのセットアップに何ヶ月とかかっていたものが、ものの数分で数千台ものサーバーが利用可能になった。

　クラウドサービスが、DevOps や DevSecOps による高速サイクルのソフトウェア開発を支えている。開発者は、ハードウェアについて考慮せずとも、Amazon やマイクロソフト、Google といった企業があらかじめ用意しているサーバーをサービスとして利用するだけでよいのだ。

　また、クラウドサービス企業が提供する各種のソフトウェアも今日の開発者を助けている。OSの上で利用する様々なミドルウェアという中間層のソフトウェアや、アプリケーションと言われる様々な便利なソフトウェアが提供されている。Amazon やマイクロソフト、Google が提供するクラウドは、元々彼らが自社でサービス開発してきた過程で蓄積してきたシステムインフラ環境に関するノウハウを生かして、他社に向けてサービス提供するというものだ。Amazon は世界で最も使われているショッピングサイトを持ち、Google も何十億人もが利用する Gmail や YouTube といったサービスを提供してきた。それらを可能にするインフラを世界のユーザーに向けて提供するというものだ。もはや現代のソフト

ウェア開発者にとってクラウドの利用は前提となっており、クラウドありきでソフトウェア開発を行うことをクラウド・ネイティブといったりする。

●国防総省のDevSecOps

DevSecOps は GAFAM や Tesla、Netflix だけでなく、アメリカでは金融や通信業などを中心に多くの一般企業においても取り組みが進んでいる。DevSecOps という名前を使っていなかったとしても、セキュリティを強固にしながら、高速にソフトウェア開発をどう回すかという課題に取り組んでいるケースは、実質的には DevSecOps を進めているということができる。

近年、DevSecOps の取り組みを急速に強化している組織としては米・国防総省が有名だ。国防総省には 2018 年に、米国空軍の最高ソフトウェア責任者（Chief Software Officer）という肩書でニコラス・シャラン氏が就任し、国防総省全体の DevSecOps のトランスフォーメーションプロジェクトをリードしている。なお、最高ソフトウェア責任者とは、アメリカの政府機関としては初めて新設されたポジションで、シャラン氏は就任時 34 歳だった。シャラン氏を 2020 年 10 月に筆者が主催したイベント「DevSecOps Days Tokyo」の基調講演に招いた。4 兆円以上のソフトウェア開発予算を差配する現役の国防総省のエグゼクティブが、日本で開催する民間イベントに登壇する非常に画期的な出来事であったように思う。その「DevSecOps Days Tokyo」におけるシャ

ラン氏の講演は YouTube にあがっているので、興味のある方にはぜひご覧頂きたい。

　さて、国防総省が DevSecOps に取り組む狙いは、ソフトウェアの現代化（モダナイゼーション）にある。ソフトウェア開発力が競争力の源泉となっているのは、企業だけでなく、国家の安全保障に役割を果たす軍においても同様ということだ。2章でみたように攻撃力を有するサイバー軍もさることながら、やはりソフトウェアそのものの作り方、運用の仕方を DevSecOps 型に変革している。

　国防総省におけるソフトウェアの現代化を象徴する例として、F-16 戦闘機の内部ソフトウェアを作り換えたことが挙げられる。F-16 戦闘機は、1970 年代後半に開発されたもので、その内部のソフトウェアを 2018 年以降、現代のテクノロジーで書き換えることで新たな性能を付加したとされる。これを主導したのがシャラン氏だ。

●1970年代のF-16戦闘機が 　現代テクノロジーで生まれ変わる

　国防総省における DevSecOps 型のソフトウェア開発へのトランスフォーメーションにおいてのキーワードは、先述した「クラウド・ネイティブ」、「コンテナ」、「Kubernetes」、「マイクロサービス」だ。

　詳細な説明はこれらを扱う専門書に譲りたいが、本書ではビジ

ネスマンでもぜひ押さえておきたい範囲で簡単に概念だけ説明していく。

まず、「クラウド・ネイティブ」について。これについては、先述した通り、クラウドを前提としたソフトウェア開発を行うことだ。よくクラウドサービスの安全性を懸念する声は聞かれるが、Amazonやマイクロソフト、Googleなどが何兆円もかけて開発したものよりも強固なセキュリティを一般企業が達成しうると考えるのは、非常にナイーブな考えであろう。国防総省においても同様な議論があったようだが、結局は、餅は餅屋という選択をしている。クラウドをベースとして様々な便利な周辺技術が提供されており、このエコシステムに乗らない手はない、との結論だ。国防総省が利用するクラウドは一般のユーザーが利用するパブリック・クラウドとは異なり、プライベート・クラウドと呼ばれる国防総省専用の環境が用いられている。

外部のクラウドを積極利用するとはいえ、一社のベンダーに依存することはリスクが大きいため、Amazonやマイクロソフトなど複数社に分けて発注している。これは、一社のベンダーに依存すると（ベンダーロックイン）ベンダー側が交渉力を握るため、常に複数社に条件を競わせることをしている。ちなみに、2019年にはトランプ大統領（当時）が、自身に否定的な記事を書くワシントン・ポストのオーナーであるジェフ・ベゾス氏が経営するAmazonのクラウド（AWS）の採択を行わないよう圧力をかけたとの報道があったが、国防総省はベンダーロックインを避ける

ため、当初からマルチクラウド戦略を採っており、取り立てて騒ぐような話ではなかったはずだ。

　次のキーワードは「コンテナ」だ。コンテナは仮想化技術の一種で、アプリケーションを開発する際の単位であると理解するとわかりやすい。アプリケーションをコンテナ化することで、ひとつの OS の上に多数のコンテナ（アプリケーションの実行環境）を載せることができるようになる。仮想化技術はバーチャルマシンと呼ばれる技術が長年よく用いられてきている。バーチャルマシンもアプリケーションの実行環境の単位であるが、それぞれに OS を持つ必要がある。コンテナにも OS に近い機能を持つ必要はあるが、バーチャルマシンに比べて極めて軽い。そのため、コンテナではポータビリティが担保されている。例えば、AWS で実行されているアプリケーションを瞬時に Azure（マイクロソフトのクラウドサービス）など他社のクラウドサービスや、自前のサーバー環境（オンプレミスと呼ぶ）に移すといったことが可能になる。ベンダーロックインを回避する意味でも有益な上、まれにだがやはり起きる、クラウドサービスが落ちてしまったときに瞬時によそのクラウドに切り替えるといった安全策を取ることもできるようになる。

●ポケモンGOで有名になった
　Google開発のKubernetes

　次のキーワードは、「Kubernetes」だ。クーバネティスと読むが、

長いので間の8文字を省力してk8s（ケイエイツ）と呼ばれることもある。このKubernetesはコンテナのオーケストレーション技術であるが、要は大量の様々な種類のコンテナをオーケストラの指揮者のように操る技術のことだ。前述したようなクラウドサービスやオンプレミスの環境を横断してコンテナを動かすことを瞬時に可能にしているのがKubernetesだ。

　Kubernetesは元々Googleの社内で使われていた技術だが、2015年にオープンソースとして広く一般に公開された。Kubernetesのリリースに伴い、GoogleはLinuxファウンデーションと共同でクラウド・ネイティブ・コンピューティング・ファウンデーション（CNCF）を設立し、コアとなる技術として提供した。現在はCNCFがKubernetesの技術発展と普及や啓蒙に努めている一方で、各クラウドサービス大手は、Kubernetesをより利用しやすくツール化して提供している。元々開発したGoogleの提供するGoogle・クラウド・サービス（GCP）の提供するGoogle Kubernetes Engine（GKE）が代表的であるが、AWS（Amazon）やAzure（マイクロソフト）も提供しているし、RedHat社のOpenShiftなども有名だ。OpenShiftは国防総省でも採択されている。

　このコンテナやKubernetesといった技術は、別に軍事技術というわけでもなく、広く一般的に利用されている。コンテナとKubernetesの威力をわかりやすく世間に伝えた例は、ポケモンGoだろう。

ポケモン Go は当初目標としていたトラフィックを大きく上回る 5 倍のトラフィック量を安全ラインとして見積もって設計されたが、実際にはその 10 倍、つまり当初目標の 50 倍がリリース直後に発生した。想定を上回る数百万人のユーザーを獲得し、一気に利用が広まったわけだが、サービスがダウンすることはなかった。これを支えたのがコンテナ化されたアプリケーション実行環境と Kubernetes だ。コンテナはトラフィック量に合わせて瞬時に増殖させることができ、数秒で数千台ものサーバーを一気に立ち上げて対応するといったことが可能だ。バーチャルマシンの場合には OS から立ち上げねばならず、処理に時間がかかるため数分はかかってしまう。

　国防総省が DevSecOps によるソフトウェア開発の現代化に伴って、採用しているアーキテクチャが「マイクロサービス」というものだ。マイクロサービスに対置されるアーキテクチャは先述もしたがモノリス、あるいはモノリシックという。単調的という意味だが、一個のソフトウェアの内部構造がひとまとまりになっていて、各機能がそれぞれ密に結合され、データベースも共有される、という作り方だ。一方、マイクロサービス・アーキテクチャでは、これらがサービスの単位に分解される。

　マイクロサービス化する利点は、ソフトウェアの改修、更新が容易に行えることである。モノリシックなアーキテクチャの場合は、各機能が密結合しているため、どこか一か所を直そうとする影響範囲がソフトウェア全体に及ぶ可能性があり、改修が行いづ

らい。一方マイクロサービスでは、それぞれがあたかも別個のアプリケーションであるかのように分けて作られており、プログラムを変更することの影響範囲は基本的には区切られたマイクロサービスの中に限られる。DevOps や DevSecOps が前提とする高速, 高頻度のソフトウェアの継続改善は, こうしたマイクロサービス化されたアーキテクチャと表裏一体だ。こうした変更しやすい、つまり後々に機能追加しやすいアーキテクチャにしておくことで、新しく生み出される技術をソフトウェアに新たに取り込むことが容易になる。現代ならば古いシステムに新たに AI 機能を追加するといったことも容易に行えるようになる。モノリシックなアーキテクチャではこの機能追加をタイムリーに行う足枷となってしまう。

●飛行中に新機能が追加される最新鋭戦闘機

先述した F-16 戦闘機もモノリシックなシステムアーキテクチャから、マイクロサービスに作り換えることで AI 機能が付加されたという。その際各アプリケーション実行環境もコンテナ化され、Kubernetes によるオーケストレーションが行われるようになった。こうして、1970 年代に初期リリースされた戦闘機が2019 年に現代のテクノロジーで生まれ変わった。DevSecOps により、F-16 戦闘機は継続的な改善を高速に行っていくことが可能なアーキテクチャとなった。かつては作って終わりであったものが、Tesla のように使いながらソフトウェア更新がかけられる。

さらに、国防総省（米国空軍）では、飛行中の飛行機に対してソフトウェア更新がかけられることも、2020年に実証されている。空中給油が可能な戦闘機ならば、地上に戻ることなく飛び続けた状態のまま、機能改善のソフトウェア更新を行うことができるようになる。こうした更新は、DevSecOpsと、マイクロサービス、Kubernetesなどを使って実現されている。

モノリスからマイクロサービスへのソフトウェアの作り換えは、FacebookやNetflixなど、枚挙に暇がないほどの数の企業のサービスで行われてきており、シャラン氏は、国防総省は民間よりも10年遅れているといい改革を急いでいる。

●国防総省のパラダイムシフト

さて、国防総省におけるDevSecOps改革では、民間の開発技術の導入が急速に進んでいることがわかる。実は国防総省にとって、これは大きなパラダイムシフトである。少し前述もしているが、1960年代には、世界全体の研究開発費の約70%がアメリカ国内の予算だった。その半分以上である、36%が軍事関連の研究開発予算だった。この頃はロシアとの冷戦期で潤沢に国防予算が割り当てられていた。この潤沢な研究開発予算で、アポロは月に行き、宇宙に飛ばした衛星により位置測位を行うGPSなどが開発された。いまでは携帯電話で当たり前に使われるタッチスクリーンも、GPS同様、アメリカ軍の開発した技術だ。したがってかつての国防総省のパラダイムは、自らが開発した技術が民間

転用される、というものだった。

　しかしながら、2016年には全世界の研究開発予算の内、アメリカが占める割合は24%、アメリカの国防関連が占める予算は全世界の4%にまでシェアが下がった。1960年代と比較してシェアの割合は、36%から4%へと実に9分の1という規模にまで落ちている。それだけ国防関連予算の外で研究開発が行われているわけである。GAFAの研究開発予算は年間、何兆円にも上る。そこで開発された、クラウドやKubernetesといった技術が、逆に軍事転用されているのが現代だ。国防総省ですら、自前での技術開発以上に、民間技術をいかに転用するか、ということにパラダイムが大きく変わっている。

　国防総省内部の、国防イノベーション局（Defense Innovation Unit）が、ベンチャーも含めた民間企業との共同プロジェクトに積極的に取り組んでいるのもこうした背景があるからだ。伝統的に煩雑であった契約条件や厳しい支払い条件などを緩和し、ベンチャーでも組みやすいように仕組みを整えてきている。また、協力の範囲は米国内に限らず、同盟国にも広く門戸が開かれている。当然同盟国たる日本のベンチャーでさえ、共同プロジェクトへの応募は歓迎といった姿勢が取られているのだ。

●DevSecOps改革の本丸は、意識改革と行動変容

　書店のビジネス書のコーナーを見ても、日本のビジネス界の興味はGAFAやNetflix、Teslaのようなプラットフォーマーのビ

ジネスモデルに注目したものが多い。しかしながら、その競争力の源泉に目を向けると、当初のビジネス構想力もさることながら、サービスの進化を継続的に行う仕組みがあることがわかる。これこそが現代における競争力の源泉であり、それをどのように実現しているのかといえば、DevOps や DevSecOps に代表される現代的なテクノロジーの利用と継続改善を高速・高頻度で行うソフトウェア開発力であることは、本書で既に繰り返し述べてきたことだ。

　Japan as No.1 といって、かつて世界を席巻した日本の製造業の躍進の背景に、トヨタに代表される生産管理能力の高さがあることを世界はすぐに見破った。この、トヨタ型の生産方式の現代版が、DevSecOps であると捉えられる。成功したビジネスモデルは、そこに行きつくまでの度重なるトライアンドエラー、継続改善の賜物だ。これを可能にするカラクリが、DevOps による継続改善であり、そこにセキュリティを加えた DevSecOps だ。成功したビジネスモデルを生み出す裏側のカラクリについての理解が進まない限り、日本が情報産業立国、AI 産業立国となることはない。

　日本の経営者や産業界のご意見番、政治家や官僚、教育研究機関の方々にもぜひこのカラクリを理解頂く必要がある。そして、国全体のテクノロジーレベルを引き上げながら、足元を危うくするサイバー攻撃も防止するために、DevSecOps の導入を推進していくことは必須の取り組みだ。

　既に世界の議論は、作ったソフトウェアをいかに守るかということよりも、いかにセキュアにソフトウェア自体を作っていくか、生存をかけてソフトウェア開発の競争力を高めるかということにシフトしている。これを進めていく上での最大の課題は人材育成だ。

●組織の行動変容に有用なDiSC、ProfileXTなどのパーソナリティアセスメント

　再び国防総省だが、DevSecOps と現代的なテクノロジーへの習熟を促すため、10万人もの規模でのトレーニングをシャラン氏が主導している。さらには、DevSecOps を進める詳細な文書を作成したり、ウェブサイトを制作したり、イベントを行って積極的な情報発信をしている。こうしたことも人々の意識改革を伴う人材育成の一環だ。

　筆者はシャラン氏に、DevSecOps トランスフォーメーションを成功させるためのコツは何かと尋ねたことがあるが、組織の継続的な学習の重要性について語ってくれた。目標を達成したら終わりではなく、また次の目標に向かって、うまくいったこと、いかなかったことを振り返りながら継続的に学習し、成長していくことが重要だ、との考えを示してくれた。DevSecOps への改革で重要なことの一面は、テクノロジーそのものであるが、むしろそれ以上に組織全体の意識改革を伴う人の行動変容であるということだ。

ちなみに、こうした組織における行動変容は、AI、サイバーレジリエンス、DevSecOps と並ぶ、筆者の専門領域の一つなのだが、この領域もデータを活用した現代的な課題解決アプローチが近年急速に進んできている。特にパーソナリティのアセスメントを通じた、人材の素質や、動機、コミュニケーションスタイルのデータ化や可視化は特に有用である。筆者は DiSC や Profile XT といったツールを開発・提供しているが、サイバーレジリエントな組織作りにおいても、人材の発掘、育成、登用などに非常に有益であることが実感できる。同様にデジタルトランスフォーメーションを加速する組織作りなどにも近年積極利用されているが、詳しくはまた別の機会に記したい。

●深刻なサイバーセキュリティ人材不足

　既に、日本国内ではサイバー脅威への対応にあたる人材不足に対する切実な声があがっている。NRI セキュアテクノロジーズが 2020 年 12 月に発表した「企業におけるセキュリティ実態調査」の結果では、企業の情報セキュリティに従事する人材の充足状況として、「不足している」、「どちらかと言えば不足している」と答えた企業の割合は 86% にのぼる。アメリカ、オーストラリアがそれぞれ、約 17% であることを踏まえると日本のセキュリティ人材不足は、非常に深刻だ。

　ところで、近年ではデジタルトランスフォーメーション（DX）が世界的に取り組まれているが、デジタル化によりサイバー脅威

も増大することは本書で繰り返し述べてきた通りだ。日本の企業でDXに伴いセキュリティ戦略の見直しを実施している企業の割合は、同調査でわずか21.7%だ。DXに伴いセキュリティ強化を考えていない、つまり仕事が増えているわけではないのに、既に86%の企業が不足していると捉えているのだ。今後、DXの進展に伴うサイバー脅威の増大が明らかになるにつれ、セキュリティ人材の不足は益々深刻になっていくと容易に予想できる。

●セキュリティ人材育成の必要性

　セキュリティ人材の育成についてはいくつかのアプローチがあるがその前に、必要な人材像のイメージを刷新する必要がある。前述した調査で86%もの回答率で不足している「セキュリティ人材」なるものの人材像が前提としているのは、ゼロトラストやサイバーレジリエンス、DevSecOpsを前提としたものでない可能性が高い。むしろ、パラダイム転換前の、ファイヤーウォールなどによる境界防御を前提としたセキュリティ人材を想像しながら回答されていることであろう。本書で記した前提においてのサイバーセキュリティ人材の充足度は、国内のテクノロジー先進的な企業を含めても、ほぼ100%の不足率となってしまうだろう。今後、こうした現代のパラダイムを元にした人材の育成を、国をあげて進めていく必要がある。

　特に自衛隊のサイバー防衛隊の人材の増強、育成は急務だろう。2章で述べたように他国に比べて、二桁レベルで人材が不足して

いる。これには、ハッカー人材、セキュリティ人材全体の母数を圧倒的に増やし、その中から国防に直接貢献したいと思う人材を、既存の採用手法にとらわれずに進めていく必要がある。

●コミュニティ形成とCTF

　筆者も微力ながら既にいくつかの人材育成に取り組んでいる。ひとつは、前述もしたがDevSecOpsを進めたいと思うエンジニアやビジネス企画者が情報交換を行うコミュニティの形成だ。DevSecOps Daysというコミュニティで、2021年現在では、世界12都市にコミュニティが存在し、筆者が東京コミュニティを立ち上げた。これを支援してくれたのが、巻末に特別寄稿を寄せてくれた、カーネギーメロン大学ソフトウェアエンジニアリング研究所のハサン・ヤサール氏だ。2020年10月の初回イベントでは、経済産業省やアメリカ大使館などの公的機関からも後援して頂いた。国防総省のシャラン氏とヤサール氏を基調講演者として招き、国内外から20人近い専門家の講演に、1500人近い参加登録を頂いた。日英の同時通訳で配信したYouTube動画の合計の動画再生数は2020年内に1万ビューを超え、DevSecOpsに対する関心の高さを示している。2日間のイベントの様子はYouTubeにあがっているので、「DevSecOps Days Tokyo」で検索すれば、動画が閲覧可能だ。また、世界の他の都市のイベントの動画もYouTubeにあがっている。2021年以降はより積極的に日本国内のDevSecOpsの取り組みを共有する場として進化させていきたい。

エンジニアだけでなく、ビジネス企画者や経営者も一体となりながら、産官学でサイバーレジリエンスを高める国作り、組織作り、人作りの議論を活発に行えればと思っている。興味のある方はYouTube のチャンネル登録と Twitter（@DevSecOpsT）をフォロー頂ければ、今後の情報がアップデートされる。

　コミュニティ形成のように情報交換やネットワーキングを主体とした場以上に、もう少し踏み込んでスキルの育成にも取り組んでいる。CTF（Capture the flag）という、ゲーミフィケーション型のハッキングスキルの養成を行うトレーニングプラットフォームの構築に、東京大学と共に取り組んでいる（2021年度からは京都大学と取り組みを進めている）。サイバーレジリエンスを高めるための取り組みはいくつも考えられるが、結局は相手がどう攻撃してくるかがわからなければ、防御の術もわからない。世界では、自社サービスを実際に攻撃するレッドチームとそれを防御するブルーチームに分かれて競い合う中でサイバーレジリエンスのレベルを高めている。GAFAM や Netflix などでは当然に行われていることで、金融や通信やその他の産業にも広がりを見せている。日本国内では、有名なウェブサービス企業などまだごく一部に限られるが、今後広まっていくだろう。

　CTF はそうした攻撃と防御のためのハッキングスキルを学ぶためのもので、一般に参加者を募ってコンペティションを開催することで人材の発掘や育成が行われている。2021年3月には防衛省が初めて CTF を開催し、セキュリティ人材の発掘と育成の

ための取り組みを開始した。

　筆者が東京大学及び京都大学と取り組むCognitiveCTFは中高生向けのもので、初心者から超上級者までも取り組める構成で、サイバーセキュリティ・サイバーレジリエンスの世界に親しんでもらうこと、自身の才能に気づいてもらうことを主な目的としている。

●CTFの義務教育化が未来のサイバー防衛と
　次世代人工知能技術開発につながる

　カーネギーメロン大学が開催するpicoCTFは、世界最大の中高生向けのCTF大会で、2019年は約4万人が参加し、年々参加者が増えている。2021年は、picoCTF参加者の内、日本の中学・高校・高専の1~3年生の優秀者を表彰するCognitiveHack Japanを主催した。義務教育でのプログラミングの必修化が進んでいるが、CTFの必修化や、世界のCTF大会での上位成績者を大学の特待生扱いで入学させるなど、ハッキングスキルを若いうちから養成していくこと、また素養をもった人材の裾野を増やしていくことが重要である。政府は、デジタル自体の読み・書き・そろばんとして、「数理・データサイエンス・AI」を挙げるがハッカーとしてのスキル育成も重要である。

　何度でもいうが、これまでの境界防御の考え方は終わり、ゼロトラストでネットワーク内外、ソフトウェアのコードレベルでいかにセキュリティを高め、レジリエントな基盤を作るか、に世界

のパラダイムはシフトしている。そのためには、攻撃を知らない
と守ることもできないということで、ホワイトハッカーと呼ばれ
る、善意のためにハッキングスキルを用いる人材育成が重要だ。
ファイヤーウォールを構築できる人材が現代のセキュリティ人材
ではない。攻撃手法を熟知した上で、危険度の高いところから対
策を施していくハッキングスキルが重要となる。

このハッキングスキルを高めるためにCTFは非常に有効な手
法で、今後は学校の授業でも必修化、少なくとも選択制科目に加
えて広く裾野を広げるべきだ。政府はAI教育に力を入れていく
方針があるのだが、CTFは実はAIスキルの構築にも寄与する。
現代のAIとはディープラーニングなどの機械学習が主な手法で
あるが、まだまだ解ける問題が限られている。学習したパターン
についての正解を出すことが得意な一方で、例えば、ひらめきや
直観を持つAIなどは開発されていない。こうした次世代型の人
工知能技術の開発は、現代の技術をなぞった先にあるのではなく、
新たなアプローチの考案が必要だ。そのために、CTFのように
コンピュータの下層レイヤーの仕組みにまで精通し、コンピュー
タを熟知した人材の厚みを持たせることは、未来の人工知能技術
開発にも大いに貢献するはずだ。もちろん、計算機科学だけでな
く、脳科学、哲学、人類学、数学、心理学などかつての人工知能
研究の発展過程と同じような学際的なアプローチが必須となるこ
とは言うまでもない。

なお、U.S. Newsによると、カーネギーメロン大学（CMU）は、

AIとサイバーセキュリティで全米トップの大学である。その CMU が CTF を開催する理由は、リクルーティングである。pic oCTF でトップクラスの成績を修めた中高生を大学キャンパスに招き、将来的な CMU への入学への先鞭をつけている。1章で紹介した、国防総省で採用されたハッキング AI のメイヘムを開発するのも、そうした中高生時代から CTF で腕を鳴らしてきた奇才たちが CMU で学び、教授たちとスピンオフしてスタートアップを立ち上げている。こうした早期からの人材育成のエコシステムについては、日本も大いに学ぶべきところがあるだろう。

人材育成のエコシステム形成で言えば、中高生、もしくは小学生からのハッカースキル教育から大学での研究を経て、社会でスタートアップを立ち上げる、というのは日本でも始まりつつある。2020 年に攻撃を得意とするサイバーセキュリティサービス提供会社として立ち上がったリチェルカセキュリティの中心メンバーは、まさに世界の CTF で腕を鳴らしてきた若者たちと共に、カーネギーメロン大学での研究員経験のある創業者が立ち上げたスタートアップだ。こうしたスタートアップの立ち上げがもっと加速するような仕組み作りも必要となっていく。

●日本版In-Q-Tel、防衛省ベンチャーキャピタル設立提案

この点、2章で述べた CIA（中央情報局）が運営する In-Q-Tel（インキューテル）は、国防に寄与するスタートアップの育成をうまく進める取り組みだと言える。2020 年に上場したパラ

ンティア・テクノロジーズは、ビン・ラディンの潜伏先の発見に
貢献したとされるが、元々 In-Q-Tel も初期の投資家だ。アメリ
カには、CIA だけでなく、国防総省、海軍、陸軍もこうしたベ
ンチャーキャピタル投資を行っていることは2章で述べた通り
だ。日本でも、防衛省ベンチャーキャピタルが世界に通用するサ
イバーセキュリティのスタートアップに投資をして、上場までを
支援してキャピタルゲインを稼ぎながら、また新たなテクノロ
ジースタートアップを支援するというエコシステムを作っていく
べきだ。

　投資額として毎年 100 億円もあれば、十分に5年先、10年先
の国防、企業のサイバー空間防衛を支援するスタートアップ育成
に有用だろう。DARPA が、メイヘムを発掘した Cyber Grand
Challenge に用意した優勝賞金は2億円だ。こうしたハッキング
AI への投資はベンチャーキャピタルの投資先としてまず筆頭候
補に挙がることだろう。また、こうしたベンチャーファンドの存
在が、自衛隊のサイバー防衛隊などへのリクルーティングに寄与
することも間違いない。

●サイバー攻撃を無力化する奥の手

　最後に、3章でも指摘したが、改めてサイバー攻撃を無力化す
る奥の手についても提案したい。サイバー攻撃脅威の多くは、サー
バーを動かす OS の Linux や Windows に起因するものであり、
大半が OS 依存のサイバー攻撃ということになる。国防総省で進

めるコンテナ化や Kubernetes も Linux OS の上で動く仕組みだ。Linux を使うから狙われるわけである。サイバー攻撃を無力化する奥の手は、日本独自の OS を開発することである。あえてのガラパゴス戦略により、サイバー攻撃を無能化することができる。これには、500 億円もあれば日本独自の OS 開発を進めていけるはずだ。Google やマイクロソフト、Apple の技術力の源泉には、携帯用 OS の Android や iOS、Windows OS の開発がある。GAFA がプラットフォーマーとして、提供しているサービスにばかり目が行きがちだが、そのサプライチェーンとしての、OS からの DevSecOps にも注目するべきだ。

　日本の成長戦略として、データと AI の力で社会変革を起こそうとする Society5.0 が謳われているが、本当のテクノロジー立国になるためには、OS のレイヤーからの開発力が必要だ。OS を他国に依存し、さらには AI 立国といっても、他国に依存したオープンソースを使いこなすだけのエンドユーザーとしての AI エンジニアだけを育てても、本当の産業競争力の厚みが出ない。さらに言えば、コンピュータのハードウェアについても日本製を追究していくべきだろう。中国はテクノロジーをハード・ソフトにかかわらず、自前で製造できるようになることを成長戦略として掲げている。日本が Society5.0 社会を成長戦略としていく上で、ハードウェア、OS、アプリケーション全てのレイヤーと、そこで扱われるデータのハンドリングを行う能力を高めていく必要がある。ガラパゴス化は、サイバー防衛においては、大いに結構だ。

むしろ戦略として選ぶべきである。

●DevSecOpsの進化で世界をリードできる日本

　以上の本書の内容を踏まえて、明日から、いや今日から読者の皆さんができることを個人、企業それぞれについて提案させて頂くことで本書を終えたいと思う。

　まず個人としては、使っているパソコンや携帯のOSのアップデート通知が来たら、間を置かずになるべく早く更新する。機能改善もあるがセキュリティバグを修正するパッチが含まれているからだ。そして、自分のパソコンや携帯もハックされ得る、もしくは既にハックされているかもしれない、という前提を持って、最悪どんなことが起こり得るかについて思いを巡らせるのも得策だ。インターネットバンキングやクレジットカードなどは特に注意を要する。そのうえで、さらにこの世界に興味があれば、You Tube の「DevSecOps Days Tokyo」やその他の動画などで情報収集されることをお勧めしたい。CTF大会に参加するのもよいだろう。コミュニティに参加したり、運営に協力したりしていただける方も大歓迎だ。

　企業については、まずホワイトハッカーを雇って、実際に自社インフラを攻撃してもらうとよい。よくセキュリティ監査をして、そこでの指摘事項に対応することで、安心している姿を多くお見掛けする。もちろん、意味が無いとは言わないが、所詮気休めに過ぎない。サイバーセキュリティを強化するための各種基準が

あってそれに対してやるべきことをやっているかどうか、という
チェックであって、実際にどれだけ重大な攻撃リスクがあるかを
ソースコードのレベルでチェックしているわけではない。

　「彼を知り己を知れば百戦殆からず」と言ったのは孫子だが、
ホワイトハッカーに攻撃させることで、敵の攻撃手法を知り、ま
た自分の弱点を見抜いてもらうことで、そこから対策を考えてい
けばよいだろう。その対策を練る過程で、ゼロトラストや DevS
ecOps を思い出して頂き、今後のソフトウェア開発の在り方につ
いても再考頂けたらと思う。

　何より、DevSecOps の源流には、1980 年代の日本の製造業の
卓越した Kaizen 活動があったことをよく思い出して頂ければと
思う。企業で活躍する現役世代はともすれば先輩世代が確立した
ビジネスモデル、仕事のやり方を伝統として守ることに重きが置
かれがちだが、世界をリードし、また 2020 年代になっても Dev
Ops や DevSecOps を進める GAFA、中国などの先進企業が研究
するのが、トヨタ生産方式に代表される日本型の製造プロセスで
ある。かつての日本人は、これを築き上げ時々刻々改善を繰り返
すことで世界をリードした。DevOps や DevSecOps についても、
これを採り入れ、さらに世界をリードする形に進化させることが
この国にはできるはずだ。

DevSecOpsによる組織の競争力強化とDX時代のリーダーたちへの提言

特別寄稿

すべてのシステムが DevSecOpsで構築される ポストデジタル時代

ハサン・ヤサール
Hasan Yasar
カーネギーメロン大学
ソフトウェアエンジニアリン
グ研究所 (SEI)
テクニカルディレクター

イントロダクション

　DevSecOps とは、ソフトウェアシステムの開発（Dev）、セキュリティ（Sec）、運用（Ops）を統合し、開発ニーズの発生から機能実現までの時間を短縮しながら、高いソフトウェア品質での継続的インテグレーションと継続的デリバリー（CI/CD）を実現する取り組みのことです。ソフトウェアシステム開発における DevSecOps の急速な普及とその有効性が実証されていることで、より複雑なプロジェクトへの導入が多くの人によって推奨されています。組織文化の中で DevSecOps を導入する共通の理由を示し、DevSecOps の導入によりもたらされる結果の重要性を正しく評価する必要があります。本稿では、DevSecOps について、その原則、運用方法、および期待されるメリットなどについて紹介します。

　また、DevSecOps のエコシステムの目的とそれを備えるために必要となる準備や確立方法、管理に関する活動について説明し

ます。準備は、達成可能な目標と期待値を設定し、エコシステム
を確立するステップを明確にするために必要です。エコシステム
の確立とは、文化、自動化、プロセス、およびシステム・アーキ
テクチャについて、取り組みを始める前の状態から初期の機能に
向けて進化させるプロセスのことです。エコシステムの管理には、
その健全性と組織のパフォーマンスの両方を測定・監視すること
が含まれます。本稿ではまた、DevSecOps のアプローチについ
ての概念的基盤に関しても扱っています。さらに、防衛やその他
の高度に規制された政府システムなどの環境において、DevSec
Ops を導入することに関心のある方への指針ともなるかと思い
ます。

DevSecOps概要

　ソフトウェア開発に関わる人々のコミュニティにより、ソフト
ウェアシステムの開発（Dev）、セキュリティ（Sec）、デリバリー・
運用（Ops）を統合し、ニーズの発生から機能の獲得までの時間
を短縮し、高いソフトウェア品質で継続的インテグレーションと
継続的デリバリー（CI/CD）を実現する DevSecOps が進化して
きました。DevOps について、IEEE も同様の記述をしています。

　"ソフトウェアシステムのライフサイクルにおいて、ソフトウェ
ア開発チームと IT 運用スタッフ、調達者、サプライヤー、その
他の利害関係者との間のコラボレーションとコミュニケーション
を重視した一連の原則と実践のことです。"

これらの概念をさらに統合したDevSecOpsは、高度に統合された開発手法であり、プロジェクトの初期段階から、ITオペレーション、テスター、開発者、顧客、セキュリティ担当者など、すべての関係者間のコラボレーション、コミュニケーション、自動化を重視しています。すべてのステークホルダー間のコラボレーションを向上させるための様々なツールがあります。また、自動化できるものはすべて自動化しておくことが重要です。これには、テストルーチン、インフラのプロビジョニング、構成管理、デプロイメントなどが含まれます。

（事例）国防総省のソフトウェアシステム取得における課題

　敵国や企業の競合が持つ能力の進歩は、人工知能や機械学習など、スピードと洗練性の両面で進化し続けています。これに伴い、組織の能力向上を支えるソフトウェアやシステムのエンジニアリング技術や方法論の進化も加速しています。また、考慮すべき重要な要素として、サイバーセキュリティがあり、サイバー脅威は日々深刻化しています。複雑な国防総省の環境では、ビジネス界ではよく見られるような誤差は許されず、レジリエンス、アップグレード可能性、安全性、正確性、持続可能性、モジュール性といった品質など、高度な性能が要求されています。

　国防総省の指導者はこう言っています。「兵器システムを運用し維持する能力は、ソフトウェアをアップグレード、開発、デプロイ（配備）する能力にますます依存するようになるだろう。ソ

フトウェアは、現代の兵器システムの能力を決定づける要因となりつつあり、センサー、プラットフォーム、兵器を統合する際に、既存のソフトウェアが制限となることも多い。」さらに、

「なにより、人工知能の分野が進歩するにつれ、迅速で反復的なソフトウェア開発を採用することによって、重要な戦闘能力と競争上の優位性を得ることができる。」

　このように、ソフトウェアを開発、調達、保証、配備する能力は、国防の中心となるものです。同時に、米国が直面している脅威は急速に変化しており、国防総省の適応能力と対応能力は、ソフトウェアを迅速に開発して現場に配備する能力によって決定づけることができます。これまでのソフトウェア開発のアプローチは最適ではなく、国防総省の主要なリスク要因となっていました。すなわち、時間がかかりすぎ、コストがかかりすぎ、そして戦争に参加する人々を許容できないリスクにさらすことになります。そうではなくて、ソフトウェアはより効果的な部隊を実現し、国防総省の能力開発プロセスを改善するものでなければなりません。

デジタルエンジニアリングとDevSecOps

　デジタルエンジニアリング（デジタル工学）と DevSecOps の関係は、まだ始まったばかりです。

●黎明期の側面：この関係を簡単に文献検索すると、主題の引用はほとんどなく、実際、国防総省の「デジタルエンジニアリン

グ戦略的導入計画」には DevSecOps や DevOps という言葉は含まれていません。

●創発的な側面：国防イノベーション委員会が発行した「ソフトウェア開発は終わらない」（「Software is Never Done」）は、これらのコンセプトを関連付けるために、次のように述べています。

"国防総省は、統合とテストを簡素化するためにデジタルエンジニアリングのインフラを必要としています。このことから、DevSecOps プラットフォームは、すべての国防総省のソフトウェア開発者が利用でき、デジタルツインを含むシステムレベルのモデルベースなデジタルエンジニアリングインフラと統合され、既存のテスト／評価インフラ（例：野外射撃場、ラボ、その他のテスト施設）と統合され、包括的な戦術／任務レベルのインフラと統合され、恩恵を受けられる人々（例：分析、訓練、計画）が利用できるようにしなければならないと考えられます。"

このような国防総省の意図は、歴史的に産業界からも支持され、検証されてきました。例えば、「デジタルエンジニアリングにおけるテストの役割」（『Role of Testing in DE』）という出版物には次のように書かれています。

"デジタルエンジニアリング戦略を推進する企業にとって、DevOps は中核的な要件となっています ……。私たちが話を聞いた企業の半数近くが、開発プロジェクトの少なくとも 50％に DevO ps を導入しています。その結果、コードのデプロイ頻度が格段に向上しています。"

このデジタルエンジニアリングと DevSecOps の関係について、国防イノベーション委員会は重要な注意点を補足しています。

"国防総省は、ミッションクリティカルな国家安全保障アプリケーションのためにアジャイル /DevSecOps コミュニティが使用しているアプローチを適切に調整した上で、これらの技術を採用すべきである。"

そのため、あらゆるデジタルエンジニアリングの導入計画の中で DevSecOps を慎重に、規律正しく、工学的に統合するよう、積極的に検討することが重要といえます。

アジャイル リーン

アジャイルの主要な原則は、DevSecOps の中でその起源となる考え方として組み込まれています。その考え方には、ユーザーの継続的な関与、変化を期待されたものとして前向きにとらえること、エビデンスベースの振り返りにつながる短い学習サイクルでの反復的な開発、対面式のコミュニケーション、自己組織化されたチーム、過去事例の分析による継続的な改善などが含まれます。「アジャイルソフトウェア開発宣言」から生まれたその他の手法や技術には、テスト駆動開発、相対的な作業量の見積もり、サービス・ベースド・アーキテクチャなどがあります。

スクラムは、最も一般的に使用されているアジャイル技術です。

これらの概念をシステムレベルのアプリケーションに適用すると
いう DevSecOps の課題が発生した際、ソフトウェア開発におけ
るアジャイルの概念は、リーンの概念と組み合わされました。リー
ンの概念とは、価値の流れの分析、進行中の作業の制限、小さな
バッチサイズ、キュー管理などのフローに関するもので、スケー
ルしても機能するフレームワークの構築に役立つものです。
SAFe アジャイルフレームワーク で明示されているような、リー
ンとアジャイルの原則は、DevSecOps 導入のための土台として
機能しています。

　高速で統合された学習サイクルを用いて段階的に構築すれば、
最も価値のある作業に継続的に集中することができ、組織の持つ
予測や前提に対するフィードバックを迅速に受け取ることができ
ます。このため、手戻りによる高いコストの多くを排除すること
ができます。またそれは経済的にも理にかないます。

アーキテクチャ関連

　現状と未来の技術アーキテクチャ環境を理解すれば、デジタル
エンジニアリングの文脈の中で DevSecOps をどのように位置づ
け導入するかわかります。これには、適切なアーキテクチャ分析
技術を採用する必要があります。

　アーキテクチャ分析技術による分析と検証は、規律のあるエン
ジニアリングのプロセスや方法論である必要があります。また
アーキテクチャの中に含まれ、運用シナリオの中に記述される、

優先的で客観的なシステム品質として、確認できるものでなければなりません。

これがうまくできないと、品質の低いアーキテクチャ設計を決定してしまい、DevSecOps の機能に影響を与えかねません。意思決定がうまくいかないと、継続的なビルド統合、自動テストの実行、運用サポートなどの重要な活動ができなくなります。例えば、アーキテクチャを構成する各部分が緊密に結合していると、小さな変更でもシステム全体の再構築が必要となり、継続的なインテグレーションの障害となるケースがあります。これと同様に、アーキテクチャによってデプロイメントが複雑になり、エラーが発生しやすい手動ステップがリリースを妨害し、リリースされないまま数週間、数ヶ月が経過してしまうことも問題です。

ソフトウェア取得への道筋

国防総省が、組織横断で意図することは、次のようなことです。すなわち、ソフトウェアを多用するシステムの取得・開発において、国防総省の「ソフトウェア取得経路ポリシー」に沿った取得活動を行い、継続的インテグレーション（CI）／継続的デリバリー（CD）とソフトウェア能力の提供を戦場にいる兵士などのエンドユーザーに適したスケジュールで実現することです。

これは、リスクを管理し、ソフトウェアの取得と開発を成功させるデジタルエンジニアリングの導入計画をはじめとするビジネス意思決定の成果物を確立することによって可能となります。

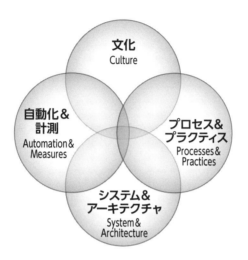

図1 DevSecOps の関係領域
出所）筆者作成

　DevSecOps は、継続的インテグレーション、継続的デリバリー（CI/CD）環境をサポートするために、開発、セキュリティ、運用を統合する社会技術的な構成要素として、獲得経路を補完するものです。DevSecOps は、高い投資収益率を実現するように設計されていますが、既存の文化、プロセス、技術を大幅に変更する必要があります。

　DevSecOps 環境は、システムの品質を向上させ、能力を発揮するまでの時間を短縮し、ミッションクリティカルな防衛・諜報コミュニティのシステムの開発者、セキュリティ担当者、オペレータ、ユーザーの間の認識の違いを最小限に抑えるために特別に設

計されます。

DevSecOpsの運用方針

　DevSecOps の原則は、リーンとアジャイルの原則、および De
vOps の原則に基づいています。これらの原則は、開発、セキュ
リティ、運用の活動を統合し、CI/CD（継続的インテグレーショ
ン / 継続的デプロイメント）パイプラインにまで拡大されていま
す。以下に、デジタルトランスフォーメーションを実現し、最終
的に組織のミッション目標を達成するための重要な原則を紹介し
ます。

●コラボレーション：ソフトウェア開発ライフサイクル（SDLC）
　のあらゆる側面にステークホルダーが全面的に関与すること
　で、すべての意思決定と結果について十分な認識と意見を得る
　ことができます。これにより、開発から運用への移行が、障害
　の少ない、あるいは障害のない状態で行われます。

●インフラストラクチャ・アズ・コード（IaC）：IaC は、インフ
　ラを構築するために書かれたコードです。必要なコンポーネン
　トと、それぞれのインストール方法の詳細を指定します。IaC
　では、オペレーティング・システム（OS）、サーバー、アプリ
　ケーションなどのソフトウェア・コンポーネントが一般的に指
　定されます。また、ストレージ、CPU、メモリ、ネットワー
　クトポロジーなどのハードウェアコンポーネントも指定されま
　す。

233

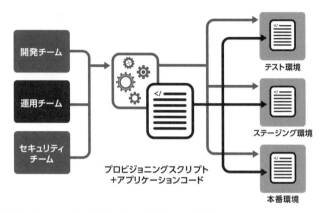

図2 ソフトウェア環境とアプリケーションのスクリプト作成

　DevOps の観点から見ると、IaC のコードは通常、インフラを必要とするソフトウェアの実行に付随するものです。図2に示すように、完全に機能するインフラストラクチャを動的に構築する能力は、開発、ステージング、本番のそれぞれの環境のパリティ（同一性）を担保しながら、統合のスピードを維持します。

●継続的インテグレーション（CI）：CI は、個々のコンポーネントを1つのエンティティに統合することです。ソフトウェア開発のパイプラインにおける以下の3つのフェーズで用いられます。

1）パイプライン開発の最初のフェーズは、ソースコード CI です。個々の開発者は、自分のコードをリポジトリ内のパーソナルブ

ランチにプッシュします。バージョン管理されたリポジトリは、すべてのパーソナルブランチからすべてのコードをひとつの統一されたマスターブランチに取り込みます。すべてのテストに合格すると、マスターブランチはリリースブランチにクローンされます。

2）第2フェーズは、デプロイ可能なコンポーネント CI です。ビルドサーバーは、IaC と依存関係も含めて、すべてのマスターブランチからコードを取り込みます。統合されたコンポーネントは、インフラストラクチャ内に取り込まれインストールされたソースコードが実行可能となります。

3）第3フェーズは、ケイパビリティ CI です。これはステージング環境で行われます。複数の開発チームによるすべてのデプロイ可能な成果物がひとつのステージング環境に統合されます。ケイパビリティ CI では、ソフトウェアの独立した検証と妥当性確認に加えてソフトウェアの品質評価が不可欠な要素として計画されます。

　パーソナルブランチからステージング環境までの CI のステップは、すべてのテストを含めて完全に自動化することができます。このことは、開発者の間でよく言われる "commit often（頻繁にコミットする）" という言葉につながります。

●継続的デリバリー（CD）：本番環境と同等の環境にソフトウェアを自動転送することです。本番環境と同等の環境のことをステージング環境と呼びます。CD は CI の最後のステップであり、

ソフトウェアをステージングおよび本番環境に配置するアク
ションを意味します。

●継続的デプロイメント（CD）：ソフトウェアを本番環境に直接、
自動的に転送することです。本番環境は通常、稼働中であり、
フル稼働しています。この形式の CD は、ソースコードの厳格
な静的テストと、デプロイ可能な成果物の動的テストに重要と
なります。

●環境パリティ（同一性）：2つ以上の環境が可能な限り同一で
あることを環境パリティと呼びます。DevOps では、ステージ
ング環境と本番環境、開発環境の間でパリティを追求します。

●自動化：DevSecOps プロセスを成功させる鍵となるのは、ス
クリプト化されたコンフィグレーションと、ビルド、自動テス
ト、および自動デリバリー / デプロイメントを継続的な反復サ
イクルの中で自動化することです。

　DevSecOps における継続的デプロイメントと自動化の例は
図3に示す通りです。

●モニタリング：パフォーマンス指標を用いた継続的モニタリン
グは、DevSecOps のパイプラインと開発中のソフトウェアを
同時に改善することに寄与します。パイプラインの不具合や開
発中のソフトウェアがテストや実行に失敗した場合には、関係
者に警告することで改善を図ります。自動化や開発とテストの
継続的なサイクルでは、最適に機能するパイプラインを確保す
るために、ノンストップのモニタリング（監視）が必要です。

236

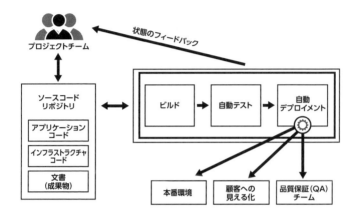

図3：DevOps における CI/CD の自動化

●パイプライン：パイプラインは、ビルド、テスト、デリバリー、
モニタリングなど、ソフトウェア開発のあらゆる面ですべての
関係者を支援します。エンジニアにとってパイプラインの主な
用途は、自動化と継続的な反復プロセスによってコードを構築
し、テストし、デリバリーすることです。パイプラインは、
DevSecOps の原則を技術的に実現するものです。一般的な意
味で、DevSecOps は文化、プロセス、技術的なコンポーネン
トをカプセル化しています。パイプラインは、DevSecOps の
技術的コンポーネントと、ある程度のプロセス・コンポーネン
トを実現するものです。

　ソフトウェア開発ライフサイクルにおいて、パイプラインは

次のような用途に使われます。

1. コードの開発：コードの作成、テスト、デリバリーなどが含まれます。パイプラインは、継続的・反復的なプロセスにおいて、複数の開発者が複数のコードセグメントを記述、統合、テストするために必要な完全な環境を提供します。このプロセスの大部分、特にテストとデリバリーは自動化されます。

2. プロジェクト管理：チケッティングシステム、集中管理されたドキュメント・レポジトリ、共有スケジュール、作業進捗モニター、その他のパフォーマンス指標などのリソースにより、ソフトウェアプロジェクトの全体的な進捗をすべての関係者で共有することができます。

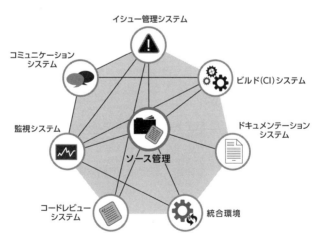

図4　DevSecOps のパイプライン
出所）筆者作成

組織ミッションとDevSecOps
前提

アジャイルと DevSecOps の前提となるマトリックスを以下に示します。

項目	アジャイルと DevOps の導入において踏まえるべき前提
ビジネスと ソフトウェアの取得	プログラムの取得戦略とプラクティスによって、アジャイルや DevOps アプローチの開発とデプロイの秀逸さが実現される
組織風土	報酬制度、価値観、スキル、スポンサーシップが、アジャイルや DevOps の価値観や原則を明確にサポートしている
プロジェクト、チーム、顧客の環境	開発チーム、テストチーム、オペレーションチーム、顧客、エンドユーザー間の頻繁なコラボレーションが積極的に行われている。プログラムマネジメントの手法は、チームに別のプロジェクトでの作業を強いていない。
システム・ アーキテクチャ	システム・アーキテクチャは疎結合である（インターフェースは外部と内部のシステムコンポーネント）。システムソリューションは、ユーザーやオペレーションからの素早いフィードバックを受けることができる。
技術環境	仮想化、自動テスト、継続的インテグレーションなどの技術サポートが整っている。モニタリングとフィードバックを含む、統合されたコラボレーションプラットフォームが整備されている。
チームの 技術プラクティス	優先順位付けされた製品バックログから、高品質なコードを小ロットでの開発することをサポートする技術プラクティスがある。技術プラクティスは自動化されたテストとインテグレーションを統合している。
チームマネジメント／ コーディネーションの 実践	チームメンバーが個々の仕事を自己組織化できるような分散型の意思決定が行われ、サポートされている。短期間（2〜4週間以下）の時間軸をサポートするチームマネジメント手法が導入されている。開発、テスト、運用の各関係者間の調整が日常的に行われている。

| プログラム
プラクティス | 複数のチームの間で同期化が行われている。チームを管理することと状態を測定することが、別のこととして分けて考えられている。必要に応じて自動化されたガバナンス機構が用いられている。 |

表1 アジャイルと DevSecOps の前提

制約条件

●安全性とセキュリティ：組織で DevOps を実践する際には、高度な安全性とセキュリティについての義務を負う必要があります。ときに、こうした義務のためにスピードを損なう可能性もあります。検討すべき論点の例は次の通りです。

○安全性とセキュリティに関わる外部のステークホルダーが、成果物の文書やプロジェクトの進捗に関する情報にアクセスする方法は？

○プロジェクトの承認プロセスはいかなるものか？

○プロジェクトの開始や完了を遅らせる原因となるボトルネックを特定し、解決するプロセスがあるか？

●規制の厳しい政府などの環境：一般的に、国防総省のように厳しい統制を敷いている組織では、プロセスに関する情報の共有から、特定のクリアランスレベルを持つ人がオンサイトでのみ利用可能な技術的詳細に至るまで、あらゆる規制上の制約があります。統制が厳格な環境が持つ閉鎖的な性質は、アジャイル、リーン、および DevSecOps のプラクティスを導入する上で、少なくとも以下のような障害をもたらします。

○各人のセキュリティ・クリアランスのレベルが異なるため、特

定のものしか見ることができず、コラボレーションがしづらい。
○認証や承認に関する問題のために、ツールの中の設定のある部分が許可されていても、他の部分が許可されていないといったことが起こり得る。
○通常であれば許可されているはずのアセットへのアクセスが制限されているために、IaC（インフラストラクチャ・アズ・コード）がうまく機能しない可能性がある。

典型的なDevSecOps環境

国防総省のDevSecOps環境

　国防総省は、防衛の観点からシステム能力を構築していますが、リアルタイム性能を実現するモデルへの重要度が高く、また安全性、信頼性、セキュリティなどの特定の品質に対する要求も高く、さらに資金源も産業界とは大きく異なり、ソリューション能力を開発するために製品アイテムを外部（契約業者）に大きく依存していることも特徴となっています。そのため、Google や Amazon のように、産業界で成功していても、運用基準や管理方法が大きく異なるために、国防総省の環境では必ずしもうまくいかないかもしれません。国防総省へのDevSecOps の導入計画でも産業界と同じようにベストプラクティスを活用できるようにし、またすべての能力の要件を徹底的に理解して追跡できるようにした上で、国防総省独自のニーズに合わせて人、文化、プロセス、技術が統合された環境を構築しなければなりません。

システムのスコープ

　国防総省におけるシステムプログラムは、広範囲かつ集中的で、複雑な構成をしています。　センサー、通信、ネットワーク、地上システム、ミサイルシステム、その他の情報システムなどの主要なシステムで構成されており、それぞれの要素が別の要素に影響を与えます。　そのため、システム間の規模を拡大する前に、(あらゆるシステムに対して独立して検証と妥当性確認を行うように) 明確に小さな範囲から段階的に導入するアプローチが推奨されています。範囲が拡大してもパフォーマンスの段階的な測定をできるようにしています。組込みソフトウェアに依存していること、複数のソフトウェア開発パイプラインが統合されやすいこと、という2つの要因により、注意が必要となっています。これらを考慮すると、国防総省のシステムプログラムの開発は非常にリスクの高いカテゴリに分類されます。これに加えて、継続的な承認プロセスが必要であることから、デジタルプロジェクトのすべての段階において、リスクマネジメントフレームワークを優先的に使用する必要があります。複雑なシステムの中で重要な役割を果たしている組込みソフトウェアについては、慎重に検討し、リスクマネジメントのアプローチを管理する必要がありますが、このテーマについては現在も発展段階の検討事項です。

組込みソフトウェアへの依存

　複雑なシステムでは、典型的に相当量のリアルタイム処理を行

242

う組込みソフトウェアがあります。筆者はこれまで、組込みシステムにおいて、DevSecOps が完璧な状態で運用されている実績をほとんど目にしていませんが、これは大きなリスクをもたらします。実際、国防総省で DevSecOps の推進を主導するエグゼクティブは、組込みシステムの領域への DevSecOps 導入をさらに進めるための作業部会を設立したばかりです。対象となる国防総省内のフォーラムのベスト・プラクティスと教訓を活かすことで、脅威リスクを軽減することができるはずです。

パイプラインの統合

　複雑なシステムの製造には、ハードウェア、ソフトウェア、ファームウェア（制御用ソフトウェア）という 3 つの異なる分野とパイプラインを統合する必要があります。これらは、異なる契約者（外部のサービス提供者）の開発環境から統合される必要がありますが、これは DevSecOps としては一般的ではない状況です。これらの同期化に向けた活動の詳細な計画が必要であり、高リスクの可能性があるトピックとして継続的に監視する必要があります。

　パイプラインのセキュリティにおいては、パイプライン上の全ての活動が期待された方法で行われることが担保される必要があります。これには、技術的な設定を含めた全体的な運用が含まれます。このセキュリティを実現するためには、複数の人が変更内容を完全に把握することが極めて重要です。また、パイプライン

の設定や操作を行う人を限定するために、厳重なアクセスコント
ロールも必要となります。ユーザーが意図しない結果を引き起こ
し、悪意のある攻撃が実現することがないように、パイプライン
内の広範なセキュリティテストを実施する必要があります。さら
に開発中のソースコードのセキュリティも重要です。開発中の
コードのセキュリティは、以下の点を実現する必要があります。

○ポインタなどの安全でないメモリ使用を制限する
○脆弱性がないこと
○例外的な入力の検証
○許可された人やシステムのみとやり取りが可能
　DevSecOps における開発中のコードを保護するためのベスト
プラクティスは、本質的に従来の方法と同じです。しかしながら
DevSecOps では、テストと検証によってプラクティスが自動化
されていることに違いがあります。コードがどの程度テストされ
ているかによって、その安全性が決まります。また、テストの多
様性も、コードの安全性を決定する役割を果たします。セキュリ
ティ要件と失敗事例を定義することで、この分野の、特に顧客に
とっての懸念事項を把握することができます。さらに詳しい情報
は、カーネギーメロン大学ソフトウェアエンジニアリング研究所
のウェビナー「Security Practitioner Perspective on DevOps for
Building Secure Solutions」（"安全なソリューション構築のため
のセキュリティ担当者の視点"）で、ご覧頂くことができます。

244

DevSecOpsへの準備

概要

　DevSecOps の基本的な組織的側面である「人」（スキル、知識、経験など）、「文化」（コミュニケーション、トレーニング、リズムなど）、「プロセス」（ワークフロー、自動化、対策など）、「技術」（技術スタック、ツールなど）に対するマネジメントする手法を変革していくことが、適切な準備の過程に求められることです。成熟した組織では、これらのうちのひとつでも変革するのはチャレンジングなことです。これらすべてを変革するのは、手に負えないと思われるかもしれませんが、実際には大きな成功を収めている例が多くあります。

　DevSecOps の導入準備における重要なことは、DevSecOps 導入プロジェクトに従事する人々の役割と、DevSecOps プロセスとパイプラインの実行者の役割を明確に定義することにあります。これらの役割を持つ人は、その責任を果たすためにパイプラインの使用方法についてトレーニングを受ける必要があります。表2は、一般的な役割、典型的な責任、および彼らが関わりそうなパイプライン構成要素のサンプルです。これには、技術的な役割と非技術的な役割が含まれています。また、DevSecOps では、すべての利害関係者がパイプラインにアクセスでき、アクセスは技術的な役割だけに限定されないことを示しています。定義された役割のそれぞれについて、ユーザーへの指示を提供する必要があります。

役割	責任	パイプラインの構成要素
プログラム マネージャー	プログラムのライフサイクルを通じて、継続的に全体を管理する プログラム全体を計画し、進捗をモニタリングする 予算、リスク、課題を管理し、是正措置を講じる	ワークフロー管理システム ドキュメント・リポジトリ モニタリングサービス パフォーマンスメトリクス
パイプライン・ アーキテクト	パイプラインの技術的な設計、開発、改善をリードする	すべて
カルチャー 変革コーチ	カルチャー変革活動とその進捗状況に関する計画、組織化、調整、促進、および報告を行う	方策、プロセス、実績へのアクセス ワークフロー管理システム
顧客	運用環境でソフトウェアを利用する	ワークフロー管理システム ドキュメント・リポジトリ 本番環境
エンドユーザー	納入されたシステムを本番利用するメリットを享受する	本番環境 ドキュメント・リポジトリ ワークフロー管理システム
ソフトウェア・ エンジニア	要件に基づいてコードを書く プログラムやシステムのテストを提供 既存のソフトウェアの修正と改良	統合開発環境 (IDE) バージョン管理リポジトリ ワークフロー管理システム
要件定義エンジニア	利害関係者と協力して、プロジェクトの要求を引き出し、理解し、分析し、文書化する	ドキュメント・リポジトリ ワークフロー管理システム ステージング環境と本番環境
テストエンジニア	テストケースの作成と文書化 リスク分析の実施と文書化 自動テストのコーディングと実行 製品の品質とリリースの準備状況の確認	ビルドサーバー ステージング環境と本番環境
運用エンジニア	コンピュータ上のソフトウェアにアクセスして運用する／日々のシステムジョブを監視・操作する コマンドを入力して運用を開始する 文書化された指示やプロセスに従って、定義されたタスクを実行する	ビルドサーバー ステージング環境と本番環境 ディペンデンシーサーバー プロビジョニングサーバー

セキュリティ エンジニア	ソフトウェアのセキュリティを向上させるために、セキュリティテストとコードレビューを実施する	ビルドサーバー ステージング環境と本番環境

表2　役割、責任、およびパイプラインの相互関係

準備プロセスとフィット分析プロセスの実行

　多くの組織はこのプロセスを実行せずに、後々になって回復困難であり、目標を維持することが難しいことがわかる失敗をしてしまいます。以下のプロセスは、このリスクを軽減するためのものです。

準備プロセス

　現在のプロセスの主要な関係者に加え、アジャイル /DevSecOps リーダーたちを集めます。リーダーはグループに対して質問を投げかけ、様々な角度から議論します

文脈	準備プロセスでは、DevSecOps の導入に関して、実現に必要なものと障壁を明らかにします。バリューマップとプロファイルがあれば、この作業は容易になります。特に障壁の方が実現に必要なものよりも大きい場合には、人きな懸念が生じる可能性がありますが、期待値を調整し、合理的な計画を立てることが重要です。
目的	準備プロセスは、現在の組織が DevSecOps を採用する準備ができているかどうかを、リスク、機会、障壁、実現に必要なものの観点から把握します。これは重要な資産となります。
主なアクター	準備プロセスには、マネージャー、チーム、そしてカルチャー変革コーチが参加します。
関連する キーイベント	DevSecOps の採用決定と DevSecOps 体制の評価を行う会議を開催します。
準備プロセスの インプット	準備プロセスのインプットとして、「DevSecOps 初期体制の評価」の結果が必要です。

準備プロセスの アウトプット	準備プロセスのアウトプットとして、リスク回避アプローチと提案され た導入推進方法を含む導入リスク評価があります。
その他のリソース	その他のリソースとして、準備プロセスとフィット分析プロセスのホワ イトペーパー、プレゼンテーションスライド、帳票があります。
ヒント・コツ・ 知恵	フィット分析をワークショップ形式で行えば、迅速な対応が可能ですが、 より多くの調整が必要となります。 リスクと同様に実現に必要なものを特定することも重要です。

表3　準備プロセスの進め方

グループディスカッションでは、以下のような活動が行われます。

●各参加者は、自分たちの置かれた環境に対して DevSecOps が
　フィットする部分について記録します。

●各参加者は、DevSecOps 導入に関して、リスクや機会（起こ
　るかもしれないこと）、または課題（現在起こっていること）
　があるかどうかを聞いて検討します。

●もしあれば、参加者はリスク、機会、課題を付箋1枚につきひ
　とつずつ、「（条件）を考えると、（リスクや機会）が（結果や
　利益）をもたらす可能性がある」という形で記録するか、課題
　を簡潔に説明する。

●すべての付箋を貼り、親和性の高いグループにまとめ、リスク・
　機会・課題のステートメントを作成します。

　より詳しい情報は、スザンヌ・ミラー氏（カーネギーメロン大
学ソフトウェアエンジニアリング研究所主席研究員）の2014年
のホワイトペーパー「The Readiness & Fit Analysis: Is Your
Organization Ready for Agile?」（準備とフィット分析：あなた

の組織はアジャイルの準備ができていますか？）に掲載されています。

　DevSecOps 導入プロセス全体の技術的な進捗を測定する基礎となる初期評価を行います。導入プロセスの重要な構成要素として、アセスメントの前後で、理想的な DevSecOps のソフトウェア開発ライフサイクルのプロセスとの比較により、組織の DevSecOps 開発ライフサイクル実装の進捗を測定したり、最低でも実証したりする能力が含まれます。国防総省のような規制の厳しい環境における担当者は、理想的な DevSecOps ソフトウェア開発ライフサイクルについて説明する必要があります。関連する測定は主観的なものになる可能性が高く、各グループは理想的な DevSecOps ソフトウェア開発ライフサイクルのプロセスについて独自の見解を持っているかもしれません。DevSecOps の体制評価で考慮されるトピックは以下の通りです。

●利害関係者とのコミュニケーションの手段と頻度

●ソフトウェアに対する要求をいつ、どのように受け取るか

●成果物の提供方法

●規制の厳しい環境外部の利害関係者が成果物、文書、プロジェクトの状況にアクセスする方法

●本番環境における、利害関係者およびエンドユーザから開発者へのフィードバック方法

●開発者のステージング環境へのアクセス

●最初の納品時および納品後に成果物を修正するために必要な権

限

●プロジェクトが作業開始の承認を得る方法

●プロジェクトの開始と完了を遅らせるボトルネック

●ハードウェアの取得プロセス

●規制の厳しい環境の外で行われる、プロジェクトに貢献する開
発活動の管理

DevSecOps 導入の目標を設定する

この活動でまとめる目標と施策は、導入の初期段階の推進に役
立ちます。欲張りすぎないことが重要です。つまり、あまりにも
多くの目標を作成して、最も価値のある目標が薄れないように気
を付ける必要があります。重要ステークホルダーのニーズや懸念
を正しく踏まえることで、理解しやすく、合意しやすい言葉で目
標を表現することができます。目標の設定は、迅速なフィードバッ
クを必要とする反復的なプロセスであることが多いです。

文脈	DevSecOps の導入目標は、戦略的および戦術的な計画のすべてにおいて、中核となるガイダンスとなります。この目標は、導入時と導入後の管理プロセスを通じて評価され、進化させ続ける必要があります。
目的	目標設定マトリクスを作成する活動を通して、DevSecOps の原則に沿った一連の目標を設定します。一連の目標は、DevSecOps の導入によって望まれる具体的な成果を、達成のための大まかな指標とともに特定します。
主なアクター	この活動（目標設定マトリクスの作成）には、チームリーダー、顧客 /ユーザー、開発者、オペレーション / デプロイメント、IT、セキュリティ、そしてパイプラインのアーキテクトが参加します。
目標設定マトリクス作成へのインプット	目標設定マトリクス作成のインプットとして、成功に不可欠なステークホルダーからの期待を踏まえます。

目標設定マトリクス作成のアウトプット	この活動のアウトプットとして、初期の目標ステートメントを作成します。
その他のリソース	その他のリソースとしては、ブログ記事「DevOps and Your Organization: Where to Begin」(「DevOps と組織：どこから始めるか」https://insights.sei.cmu.edu/devops/2014/12/devops-and-your-organization-where-to-begin.html) や、ウェビナー「Three Secrets to Successful Agile Metrics」(「アジャイルメトリクスの3つの秘訣」https://resources.sei.cmu.edu/library/asset-view.cfm?assetid=507850) などがあります。
ヒント、コツ、知恵	目標は、導入の進捗に応じて (ほとんどの場合) 進化し得ます。文化的な成果とステークホルダーのペインポイントを優先するとよいでしょう。目標と施策を定期的に見直します。

目標設定マトリックス

　設定した目標は、どのような活動を行うか、それをどのように測定するか、そしてどのような態度や行動を奨励したり抑制したりするかに大きな影響を与えます。そのため、有用な目標を設定し、進化させることは、DevSecOps を導入する上でとても優先度の高い事項なのです。

　以下の目標例は、JIDO (Joint Improvised-Threat Defeat Organization：統合即興脅威打破組織 (米国防総省内の組織)) の「SecDevOps Concept of Operations」(SecDevOps コンセプトの運用) から引用したものです。

●コラボレーション：人とプロセス

　すべてのプロセス参加者が、プロセス全体とそれに対する自分の貢献度を理解するようにします。

●自動化：プロセス＋テクノロジー

テクノロジーは、プロセスをサポートします。

●テクノロジーが反復的または退屈な作業を排除します。

●品質保証（QA）が様々なステップで自動的にツールによって実施され、組織のセキュア・ディベロップメント・オペレーション（SecDevOps）アプローチを可能にします。

●分析：テクノロジー＋人

テクノロジーがワークフローを改善し、ボトルネックを分析することで、クロスファンクショナルなスキルで結果を改善します。

戦略の策定

戦略の策定は、全体的なミッションとアプローチに沿って、高次レベルの運用意図を明確にする中心的な方法です。以下の「このセクションでは〜」からの文はJIDO「SecDevOps Concept of Operations」から直接引用したものです。

> このセクションでは、「人」「プロセス」「技術」を、フレームワークの核となる構成要素として、SecDevOpsへの移行に必要なものを戦略的な観点から説明します。
>
> 利害関係者の関与、日常的な関与、継続的なコミュニケーションにより、開発プロセスを通じて米国防総省のセキュリティ技術導入ガイドラインやセキュリティポリシーの要件に準拠した、スピーディなアプリケーション開発が促進されます。チームとチームメンバーは、組織のサイロを取り除くために、事務

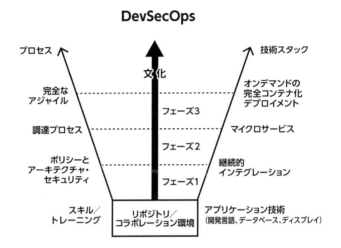

DevSecOps

図5　プロセスとテクノロジーの強化による協力的な文化の醸成

手続的にではない共同作業をしなければなりません。SecDev
Ops では、このようなチーム間の相互作用の変化を実現するた
めに、チームの役割と責任を整理する新しい集中型ワークフ
ロー管理プラットフォームを提案しています。開発とリリース
のサイクルを速めることで、ステークホルダーが継続的に関与
し、進行中の取り組みを見失うことがないようにします。Sec
DevOps を採用したチームは、刻々と変化する顧客のニーズの
急速なテンポを自らに取り込んだ、文化の大転換を経験するこ
とになります。

　SecDevOps の導入に成功すると、CI、CD、継続的なデプロ

イメント、継続的なモニタリングによる本当の意味での継続的なリスク管理が可能になります。迅速でインクリメンタルなリリースを中心としたプロセスにより、プロジェクトは管理しやすく、スケジュールと密接に連動したものになります。さらに、顧客のニーズがリアルタイムに変化しても、インクリメンタルな開発は低遅延で新しい要求に対応します。SecDevOps のプロセスは文書化されており、迅速かつ反復可能であるため、新しい方法論の導入に伴ってよく起こる成長痛が少ない状態で、組織全体のレベルにまで拡大することができます。順応性の高いプロセスは、順応性の高い労働力とチーム構造を反映しており、この2つは互いに補完し合い、強化し合っています。

　詳細で技術的に洗練された業務構想書は、本番環境への変更を導くために必要な手作業を最小限に抑え、労働力を強化します。SecDevOps は、常に自動化に焦点を当てることにより、推進されています。重要な開発インフラのデプロイメントから、コードの品質チェックや継続的なモニタリングに至るまで、人の手による作業の焦点は、中核となる開発作業に当て直すことができます。これにより、コストのかかる労働時間の配分が効率化されるだけでなく、プロセスの大部分がチーム、ロケーション、プロジェクト間で一貫していることが保証されます。進歩的なオープンソースツールは、ベンダーロックを防ぎ、コラボレーションを本質的に促進し、変化する需要の兆しに対しての技術的適応をより迅速かつ安価に実現します。

DevOps は、スピードと柔軟性を核とし、顧客の要求とプロジェクトのリソースを常に意識しています。新たに、しかし同様に重要で不変的な要素としてサイバーセキュリティが加わったことで、規模やミッションにかかわらず、すべての国防総省の組織にとって、かなりの価値と適用性があることがわかります。このように、SecDevOps の方法論は、IT 組織がその場で構築し、シフトすることができるのであって、変化する要求や環境に迅速に対応できないような、面倒で大規模な戦略シフトを決定する必要がありません。その結果、核となる任務とミッション IT プラクティスが進化し、今日の兵士の前例のないニーズをより迅速かつ正確に満たすことができるようになります。[DTRA 2017]

リーダーシップによる支援を確認する

リーダーシップからのサポートと、励ましとフォローアップのメッセージは、組織における文化の成長を促進します。また、明確な目的、役割と責任、成功の尺度、およびレビューを提供するデジタルエンジニアリング導入計画、といったリーダーシップによる DevSecOps 推進の大号令は、このアプローチに対する組織のコミットメントを強固にし、組織内に伝播させるものです。

文化の構築

DevSecOps は、メンタリティや責任の異なる様々な人々の活

動を統合します。このことが、組織のコミュニケーションと共同作業の方法に影響を与えます。DevSecOps は非難したり咎めたりしない文化です。非難は時間とエネルギーを浪費します。DevSecOps の焦点は、問題を特定し、修正し、再発を防止することです。DevSecOps の文化は、透明性があります。リーンやアジャイルのプラクティスでは、情報を共有して組織の最下層レベルでの意思決定を行い、全体の流れを指揮することが求められます。DevSecOps の文化は効率的で、価値の低い作業を常に排除します。DevSecOps は統合されており、サイロを減らし、チーム内のすべての規律（開発、検証、評価・品質保証、運用、ユーザー、管理者、財務、調達など）を取り込んでいます。

プロセスとプラクティスの構築

　DevSecOps には、文化を助長し、開発と運用の作業を統合するプロセスが必要です。組織の変革が必要になるでしょう。組織構造、ジョブディスクリプション、責任、報酬制度 / インセンティブ、検証・妥当性確認・認定のプロセス、調達 / ライセンシングのやり方、意思決定、フィードバックの仕組みなどは、DevSecOps の概念の範疇に入ります。

自動化の計画と対策

　DevSecOps は主に文化、人材、およびプロセスに関するものですが、自動化はそのメリットを達成するための主要な実現手段

です。DevSecOps では、反復的でエラーが発生しやすいタスク（ビルド、テスト、デプロイ、一貫した環境の維持など）の自動化、静的分析の自動化（アーキテクチャの健全性のため）、パフォーマンス・ダッシュボードなどによるコミュニケーションと透明性の向上を目指しています。

DevSecOpsロードマップ

DevSecOps は範囲が広いため、導入の準備が重要であり、導入には3つのフェーズを踏みます。第1フェーズでは、アジャイルとリーンの原則を適用し、リスク管理フレームワーク（RMF）を準備するとともに、最終的に継続的な承認を得るために、組織として求める成果についての共通認識を形成します。第2フェーズでは、現在のインフラストラクチャのアーキテクチャが DevSecOps と比べてどうなのかを理解し、対処が必要な障壁やリスクを特定することで、導入プロジェクトの準備状況を評価します。最終フェーズでは、DevSecOps を成熟させてあらゆる面で自動化を進め、DevSecOps パイプラインを拡張して複雑なシステムや完全にコンテナ化されたデプロイメントを推進します。

フェーズ1
統合された DevSecOps パイプライン上でリスク管理フレームワークを用いたアジャイルプラクティス／プロセスを導入し、成熟させる。

目標：アジャイルとリスクマネジメントフレームワーク（RMF）
の採用

成果

●反復的・漸進的プロセス（アジャイル）の確立

●すべてのステークホルダーに協力的な文化の醸成

●実装チームと他の関係者との間での効果的なコミュニケーショ
　ンの場の提供

●実施チームと他の関係者との効果的なコミュニケーションの場
　を提供

● DevSecOps ツールの導入と統合

●ソフトウェア開発ライフサイクルのフェーズ間でのセキュリ
　ティコントロール（リスク管理フレームワークのステップ 1 〜
　4）の確立

●サーバーにおけるテストおよびビルドステップの自動化

●チームメンバー全員の貢献による学習文化の構築

活動 1：アセスメント / ギャップ分析

　プログラムアセスメントは、DevSecOps 管理チームが、エン
ジニアの頭の中にしか存在しないソフトウェア開発の様々な側面
を引き出しながら、ソフトウェア開発ライフサイクルの現状につ
いて正しく認識するための生産的な会話にチーム全体を巻き込む
ための活動です。これは、アジャイルと DevSecOps のプラクティ
スの現状と将来の実装のアイデアを、すべての関係者が共有する

文書に収める重要なフェーズです。

DevSecOps 管理チームは、以下の領域を評価します。

●開発およびリリースプロセス

●ソフトウェア環境 (開発、テスト、ステージング、本番)

●インフラストラクチャ、パイプライン、およびツール

●チーム構成、コラボレーション、ファンクション横断的能力

活動 2：他から学ぶ

●コミュニティ・イベントに参加して、同じような組織における
　DevSecOps の導入について情報交換する。

活動 3：チーム文化の構築

●協力的な職場環境の構築

●ステークホルダーの責任範囲を明確にし、責任を負わせる

●可視化された透明なプロセスの実現と容易にアクセスでき、理
　解できる成果物の共有

●オープンで成熟したコミュニケーション（SharePoint やチャッ
　ト）

活動 4：ビジネス価値と連動したミッションに基づく、マインド
セットの変革

●共通のプログラム目標と目的を共有する

●すべてのステークホルダーへのアクセス可能性の確保

活動5：アジャイルプロセスの習得と適用

● アジャイル / リーンに関するトレーニングの開発と評価
● アジャイルおよび DevSecOps ワークショップの実施
● オンデマンド学習ポータルの構築

活動6：最小限の実行可能なプロダクトとして、複数のパイプラインアプローチを構築する

● プログラムのニーズに基づいた DevSecOps ツールの要件の特定
● ソースコードリポジトリ、ビルド環境、コラボレーションプラットフォームの導入

活動7：アジリティとセキュリティの両立

● セキュリティニーズの特定
● セキュリティストーリーの作成

活動8：アーキテクチャ評価

● 現在のシステム・アーキテクチャを特定する
● 反復的、漸進的なアプローチをサポートする将来のアーキテクチャのニーズを分析し、計画する

活動9：かんばん、スクラムベースのアジャイル開発チームの導

入
- アジャイル技術を用いて開発チームにアジリティを導入する
- ライフサイクルを通じたアジリティの拡大

活動 10：継続的な ATO（本番環境への適用許可）を行うための、
システムレベルでのリスク管理フレームワークの認定
- NIST 800-37 の導入、NIST800-53 から該当するコントロール
  を選択（標準ベースのアプローチ）
- セキュアな環境の信頼性確立

活動 11：チームの一員としてのオンサイトアジャイルコーチ
- 内部または外部のアジャイルコーチング（スクラムマスターな
  ど）の確立

活動 12：開発プロセスの効率化
- ライフサイクルの各フェーズ間の受け渡しを自動化する
- すべてのツールを DevOps パイプラインに統合する

活動 13：新しい開発手法の導入
- すべての成果物のコードリポジトリの一元化
- 継続的インテグレーション (CI) の導入
- 継続的デリバリー (CD) パイプラインの導入
- 余計なドキュメントを排し、アプリケーションデリバリーに注

力

●コントラクターを含むすべての開発環境でのビルド環境のパリ
ティ（同一性）確保

活動14：" 本番環境への経路 " の確立

●適切なレベルのトレーサビリティ、完全性、忠実性を確保する
強固な要件管理プロセス

●既存の実運用に至る全てのプロセスを分析し、改善する

●エンドユーザーの要求やフィードバックに対応するための継続
的なフィードバックループの構築

**フェーズ2：ソフトウェア開発ライフサイクル全体の現代化、アー
キテクチャ、ツール化の推進**

　目的は、DevSecOps および / またはアジャイルのトレーニン
グで、ソフトウェア開発ライフサイクルに携わるすべての関係者
に対して、職務に自信を持ってあたるために必要な知識を提供す
ることです。それはまた、システム・アーキテクチャの現代化と
ソフトウェア開発のツール化を進めることでもあります。

成果

●変更管理、リスク管理、テスト管理、ビジネスまたはミッショ
ン分析活動を含むプロセスの改善

●要件から運用までの完全なトレーサビリティの実現

●レガシーシステムのモジュラーアーキテクチャへの移行

●コンテナベースの共通サービスの開発

●ソフトウェア開発ライフサイクル全体での環境パリティを実現

●継続的な ATO（本番環境への適用許可）プロセスの確立

活動1：レガシーアプリケーションの技術的負債への対応

●レガシーアプリケーションの棚卸し

●レガシーシステムの処分に向けた代替案の分析

活動2：モジュラー・アーキテクチャへの移行。マイクロサービ
スと MOSA（モジュラー・オープン・システム・アプローチ）
への移行

●移行プロセスの実施

●共通サービスを開発するためのマイクロサービスや MOSA の
　適用可能性の分析

活動3：コンポーネントのコモディティ化

●すべての依存関係の棚卸し

●アクセス可能な共通サービスの実現

活動4：コンテナ化の導入

●関係者にコンテナに関するトレーニングを実施

●共通サービスのコンテナ化の開始

活動 5：共通サービスの確立
● *SLA*（サービスレベル・アグリーメント）、*SLO*（サービスレベル・オブジェクティブ）の導入
●各サービスのコントラクトの作成

活動 6：監査とゲートキーパーの導入
● DevSecOps のパイプラインにセキュリティと監査のゲートを設ける
●リスク管理フレームワークのツールを使用して選択したコントロールを管理、監視する

活動 7：継続的な認証の実現
●セキュリティの自動化をサポートする CI/CD ツールのコード化
●継続的な ATO（本番環境への適用許可）をサポートするための DevSecOps パイプラインの変更

フェーズ 3：DevSecOps を大規模に運用する

　DevSecOps のパイプラインを完全に運用化するためには、プロセスの改善とテクノロジーの採用の両方が必要です。DevSecOps 管理チームは、段階的な DevSecOps 成熟度プランの中で、プロセスの改善とテクノロジーの選択の両方において、組織全体を指導します。

成果

● 継続的モニタリングの導入

● プラットフォームへのセルフサービスの導入

● DevSecOps パイプラインでのセキュリティに準拠したコードのデプロイと評価の自動化

● インフラとパイプライン導入の一元化

● DevSecOps 環境を維持するためのポリシーと手順の確立

● ドメイン知識を構築するための継続的な知見獲得体制の確立

活動 1：開発メトリクスの追跡開始

● 継続的なモニタリングを構築するために、DevSecOps の共通指標を導入（MTTD：障害検知にかかる平均時間、MTTR：平均復旧時間、デプロイメント頻度、ATO までの時間など）

活動 2：自動化と不変な環境の構築

● ソース管理のインフラストラクチャ・アズ・コード (IaC)

● 各種の自動テストハーネス（自動テストのためのソフトウェア）

活動 3：運用環境を支えるパイプラインのリリース

● ステージング環境と本番環境の接続 (ローサイドからハイサイド)

活動4：アナリティクスに基づいて本番環境へのパイプラインを
　スケジュールする
●始まりからデプロイメントまでを自動化

活動5：プラットフォームと技術の刷新、および継続的なトレー
ニング
● DevSecOps のパイプラインを維持するためのポリシーの策定
●すべての関係者をトレーニングするための継続的な学習プロセ
ス / プラットフォームの確立

活動6：オンプレミスリソースのクラウドへの拡張とオーケスト
レーション
●クラウドプラットフォームに展開可能な IaC と共通サービス
の開発

活動7：DevSecOps パイプライン全体での教訓の整理と一元化
●すべての関係者の間で、知見を記録する文化を醸成する

活動8：コントラクターと発注側の関係者間の透明性を向上させ
る
●コントラクターと発注側の両方に共通のポータル /DevSecOps
プラットフォームを確立する

DevSecOpsの維持

　維持プロセスは、適切なレベルの目標品質が継続的に製品に存在することを保証するためにあります。DevSecOps プロセスとその結果としての成果物の品質をトラックする測定基準とレビュープロセスを確立することから始めます。最善の方法は、すべての利害関係者が、複雑な取り組みをうまく管理するための知恵を、アジャイル方式ですぐにアクセスできるダッシュボード内で管理して情報共有することです。

測定基準

　成功を測定する一般的な基準には、プロジェクトチームの各役割に明確な責任を設定すること、要件と依存関係を完全に理解すること、そして最も重要なことは、すべてのプロジェクトの利害関係者との協力的な環境で運用することが含まれます。

　有用な目標を策定するための明確なアプローチとして、SMART 目標モデルがあります。

● Specific（明確である）：成功するかどうかが明確に判断できるものであること。

● Measurable（測定可能である）：測定値は、具体的な値（例：3ヶ月間の平均ウィジェットが 500/ 日）、バイナリ値（例：はい／いいえ）、スケール（例：10%対 50%）などが考えられますが、目標に適した測定値でなければなりません。

● Achievable/Attainable（達成可能である）：実際に達成することができるものであること。

● Realistic/Relevant（現実的である・関連性があること）：ストレッチすることは重要なものの、あくまでスタッフの能力と環境の制約の範囲内であり、その達成が組織にとって有益であること。

● Time-based/Tangible（時間ベース / 有形であること）：目標によっては、時間的要素が必要なものもあります。そうでなければ、目標は偶発的な出来事によってうやむやになってしまいます。時間的制約のない目標は、満足度を客観的に評価できるように、具体的で観察可能なものでなければなりません。

　バランス・スコアカードのコンセプトは多くの業界で使用されています。デジタルエンジニアリング・DevSecOps 導入においては、目標の具体化を手助けし、また目標が、排他的、近視眼的にならないように手助けしてくれます。スコアカードは通常、4象限マトリクスとして表現されます。DevSecOps の見出しには次のようなものがあります。

● 人に関する目標：DevSecOps 文化の確立に関連する目標。

● プロセス目標：DevSecOps をサポートするガバナンスと技術プロセスの確立に関する目標。

● テクノロジー目標：開発、運用、デプロイメント、およびセキュリティをサポートするための自動化に関連する目標。

●文化学習とイノベーションに関する目標：組織の特徴的な能力
　を向上させ、技術的およびミッション環境の関連する変化に対
　応に関連する目標。

　検討すべき具体的な DevSecOps の測定カテゴリとしては、以
下のようなものがあります。

●パイプライン・パフォーマンス・メトリクス：

　　これらのメトリクスは、さまざまなタスク（コミット、単体
　テスト、機能テスト、ビルド、ステージング環境・本番環境へ
　のデリバリーなど）の試行、成功、失敗、完了までの時間に関
　する技術的な分析を手助けします。担当者が DevSecOps に慣
　れ、快適になるにつれて、これらの指標は着実に改善されてい
　くはずです。インシデントが発生したために、いくつかの指標
　が急落したり、急上昇したりしても構いません。時間が経過し
　ても指標が変わらない、またはパフォーマンスが低い場合は、
　根本的な問題の兆候である可能性が高く、調査する必要があり
　ます。認識された問題を調査するきっかけとなる閾値を設定し
　てもよいでしょう。

●また、問題を報告するために発行されたチケットの数もトラッ
　クすべき指標です。このような数字と解決までの時間をトラッ
　クすることは、データがパイプラインやプロセスの欠陥を示し
　ている可能性があるため、重要です。あるいは、スキルセット
　が不足していることを示している可能性もあります。このよう

な問題には対処すべきですが、DevSecOps の範囲外です。ク
ローズされないチケット（例：技術的負債）は、特定し、分析
し、その処分を慎重に決定することが非常に重要です。

●担当者とのやりとり：

技術的な指標では、DevSecOps の制度化の状況を完全には
捉えられないかもしれません。技術的な指標では、カルチャー
変化の状態を直接捉えることができません。一方、この側面は、
速度低下、遅延、および障害を示す技術的な指標で暗示される
こともあります。こうした場合は、混乱、理解不足、そして何
よりもモチベーションの低下を意味します。少人数のグループ
で、DevSecOps の経験、重要な部分、問題点などを定期的に
話し合うことは、ポジティブなカルチャー変化をもたらすため
に重要です。一般的には、影響を恐れずに率直に話すことがで
きることを組織の全員に伝えます。必要に応じて、プライバシー
と匿名性を確保するための手段を講じます。変化の測定に関す
る詳しい情報は、ドロシー・レオナルド・バートン、ジェラル
ド・ワインバーグ、R・ツマッドの各氏の著書に掲載されてい
ます。

より詳細なメトリクスを検討すべきものは次の通りです。

●１日あたりのソースコードのコミット数：

これは、コード開発タスクの状況を表します。タスクが大き
すぎると、１日で完了してコミットすることができないかもし
れません。複数の小さなタスクの方が、１日で完成させてコミッ

トするのが簡単かもしれません。開発者グループは1日のコ
ミット数に満足していますか。また、予定されたプロジェクト
の完了をサポートしていますか。

●ステークホルダーとのコミュニケーション：

　どれほど効果的かつ頻繁に行われているか。開発者グループ
は、必要または希望に応じてステークホルダーと頻繁に話すこ
とができているか。

●新規社員の立ち上げ時間：

　グループのソフトウェア開発ライフサイクルのプロセスを新
規社員に教え込むために、どのくらいの時間が必要か。従業員
の移行期間における重大なパフォーマンスギャップのリスクを
軽減します。

●一貫した開発環境：

　これは、環境のパリティ（同一性）に関連しています。開発
者や他の関係者が使用している様々な環境は、一貫性があり、
ツールやアップデートなどにより最新の状態に保たれている
か。

●ツールの使用：

　これは、チャットサービス、バージョニングシステム、テス
トおよび開発インフラ、自動化された IT リクエストの履行、
およびその他の類似ツールなど、開発チームが用いるツールを
指します。これらのツールは開発者が利用でき、効果的に機能
しているか。複数のツールセットは同じ目的のためにあるか。

開発者に好まれないものを除外する形で、現在のツールセットを削減できないか。

● 一貫性のある適切なスタッフ：

次のような職能にアサインされた、長期的で優秀な人材を提供できているか。例えば、IT インフラ、ソフトウェア開発、特定の言語のプログラマー、テスト実行者、システムインテグレーションなど。

●本番環境デプロイメント：

エンドユーザーからのフィードバックを得ることになる本番環境へのコード投入を、どのくらいの頻度で行っているか。1時間ごと、毎日、毎週、もっと長い期間か。デプロイメントは一人で行っているか、グループで行っているか。デプロイメントは一貫した反復可能なプロセスか、それとも毎回ユニークな作業か。承認は必要か。承認の待ち時間はどのくらいか。それはデプロイメントプロセスに悪影響を与えるか。

●コードの自動テスト：

コードのどれだけが自動的にテストされているか。

全体として、懸念事項に対処する際は、必ず最初にグループで話し合う。これにより、個人を矢面に立たせることなく問題に対処することができます。目的は、DevSecOps を導入することによって引き起こされる文化的な変化が、良い方向に向かっていることを担保することであることを忘れないでください。苦労して

いる個人や、シフトに同調していない人々を特定することが目的ではありません。彼らは、グループトレーニング、プレゼンテーション、実習、ミーティングなどを通じて支援することができます。

　最後に、測定のプロセスは、リスク管理フレームワークのプロセスに直接接続されていること。収集されたリスクや問題により、フレームワークを逸脱するような決断がなされないように注意するべきです。

課題・リスク・問題点

課題

●主な調査結果

　DevSecOps に関する調査で最も大きな課題として報告されたのは、CI/CD 用の自動化された統合セキュリティ・ツールがないことでした（61%）。これは、このような高速ソフトウェア・リリースへのセキュリティの巻き込みと統合がまだ始まったばかりであることから、あまり驚くことではありません。また、すべてのセキュリティツールが同じというわけではなく、ソフトウェアテストツールが企業のワークフローに統合・自動化されていなければ、CI/CD パイプラインのセキュリティを確保できないことにも注意が必要です。

また、一貫した DevSecOps のアプローチについても課題が報告されています。初期の分析では、多くのセキュリティツールやサービスは統合が難しく、ワークフローに一貫して組み込まれないと考えられています。この矛盾を解決する方法のひとつとして、アプリケーション・コンテナ・ソフトウェアが考えられます。このソフトウェアは、セキュリティを確保する必要がありますが、開発環境の標準化と一貫した開発ライフサイクルを実現する上で有益です。

　もう一つの重要な課題は、偽陽性（誤検知）でした。偽陽性のノイズにより、CI/CD プロセスにおけるセキュリティスキャンやその他の要素の利点をかき消してしまうことがわかっています。この問題に対処するには、誤検知とそれに伴うノイズを効果的に削減することに特化したセキュリティソフトウェアやサービスを選択することが有効です。

●契約言語

DevOps 環境をサポートする正しい契約言語を定義することは複雑です。契約言語や、DevOps の成功と導入を促進するための柔軟性のある契約書の書き方については、いくつかのリソースがあります。評判の良い資料は2つあります。「The Digital Services Play-book」と「TechFAR」です。

　これらの資料は、契約書にどのような種類の文言を使用することができるかの良い例を示しています。この2つの資料からは、いくつかの重要なポイントが得られます。そのポイントと

は、1）ソフトウェアの反復的な開発を可能にし、技術を使用
して一定のフィードバックループを維持すること、2）要件を
理解し、プロジェクトチームのメンバーがプロジェクトチーム
内の利害関係者や他のプロジェクトの担当にアクセスできるよ
うにすること、3）技術スタックなどの事項に関連して柔軟な
要件を設定すること、などです。プロジェクトチームがプロジェ
クトに着手すると、指定された要件に対してより優れた技術ス
タックがあることに気づくことがあります。これらのリソース
は DevOps のリソースではありませんが、DevOps のインプリ
メンテーションを模倣しているにすぎないことがわかります。

リスクと問題点

○セキュリティの実装

迅速なデリバリーと継続的なフィードバックのモデルを崩すこ
となく、セキュリティ面を統合する必要があります。セキュリティ
の実装は難しい問題であり、様々な方法で解決されています。特
に、セキュリティレベルが多様化している環境ではなおさらです。
セキュリティは、品質の側面として見られ、他の主要な品質面（例
えば可用性、有用性など）より重要でなかったとしても、少なく
とも同じぐらいには重要です。したがって、このアプローチでは、
プロジェクトの開始時からセキュリティを実装することを特に重
視して、ソフトウェア開発ライフサイクルを通して複数のチェッ
クポイントでセキュリティを組み込む必要があります（図6を参

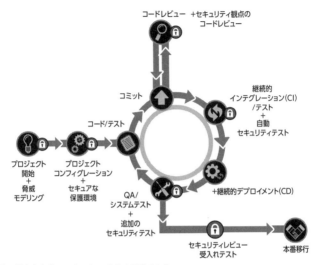

図6 統合された DevSecOps のライフサイクル
出所）筆者作成

照）。

　このプロセスは、DevSecOps プラットフォーム上で構築されるべきです。なぜなら、DevSecOps プラットフォームは、常にコラボレーションを行い、他の利害関係者の間で可視化し、迅速なフィードバックループを整えることができるからです。多くのコミュニケーション・チャンネルがあれば、プロジェクトの関係者は同じ最新の情報にアクセスすることができます。また、DevOps プラットフォームでは、常に自動化を行うことができます。これは、設置されたセキュリティテストやチェックを自動的に実行し、その結果によってアプリケーションがソフトウェア開発ラ

イフサイクルの次のステージに進むかどうかを決定することができることを意味します。主なメリットとしては、チームの効率性の向上、ソフトウェア開発ライフサイクルの完全なトレーサビリティー、サイバーインシデントへの迅速な対応などが挙げられます。

インサイダー脅威：

攻撃者が忍び込んで本番環境を改変し、その人物があなたの組織の従業員であるというのがインサイダー脅威です。いくつかの緩和策があります。ロールを設定し、プロダクションを手動で編集するための管理者権限を剥奪する。本番環境に手動でアクセスした場合、チーム全体に警告するように設定する。透過性が重要です。

○オープンソース

全開発者の約 98% がコードを再利用しています（図 7 参照）。関連するリスクを回避するために、以下のことはしないでください。

●情報セキュリティを開発ワークフローの外に置く。

●オープンソースを使用しないようなポリシーを決める。

UI/UX の文脈では、情報セキュリティとアクセシビリティの要求が衝突し、解決しないことを理解する。

ドキュメント主導のチェックではリスクを回避できない。

代わりに以下を確保する。

●情報セキュリティは、オープンソースの脆弱性を常に自動で

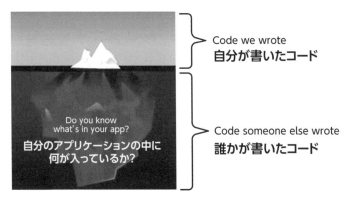

Code we wrote
自分が書いたコード

Do you know
what's in your app?
**自分のアプリケーションの中に
何が入っているか?**

Code someone else wrote
誰かが書いたコード

図7 コードの再利用
出所) 筆者作成

チェックできるようにしなければならない。
●すべての開発者のために、吟味されたサードパーティ・コンポーネントの一元的なプライベート・リポジトリを作成する。
●適切な製品配布方法の確立する。
●作業を容易にするため、コンポーネントのバリエーション(複数のバージョン、重複するユーティリティー)を最小限にする。

○ リリースのロールバック

　パラシュートの無いスカイダイビングが危険なように、強力なロールバック機能のない DevSecOps も同様に危険です。ロールバック機能は徹底的にテストされるべきです。完全に動作していたソフトウェアに巻き戻すための逃げ道を必ず用意しておく必要

があります。ワンボタンでロールバックできるようなアプローチにこだわるべきです（例：機能フラグや A/B テスト）。

○サイロ

　ソフトウェアコミュニティにおいて新しい方法論や技術の障壁について議論する際、サイロがよく取り上げられます。DevSecOps は、プロジェクトのすべてのステークホルダー間のコラボレーションとコミュニケーションによって成り立っています。サイロ化しがちなセキュリティチームも、プロジェクトの初期段階から参加する必要があるステークホルダーのひとつです。

　もう一つの大きな問題は、セキュリティチームが、安全なアプリケーションを開発する際に従わなければならない厳格なガイドラインを持っていることです。このような環境では、開発に時間がかかり、さらにリリースサイクルも遅くなります。この問題に対処するためには、開発チームはセキュリティチームを最上位クラスのステークホルダーとして扱い、セキュリティを後付けで実装するのではなく、プロジェクトの初期段階からセキュリティを組み込む必要があります。早い段階でセキュリティを組み込むことは、アプリケーションを本番環境にリリースする際に非常に重要になる可能性があります。開発チームとセキュリティチームは、膨大な数のセキュリティ監視・テストツールを使用して、特定のプロジェクトまたは一連のプロジェクトのセキュリティの全体的な透明性を確保する必要があります。改善すべき点は以下のとおりです。

●開発者とエンドユーザの間で緊密な協力関係を築くことができるような仕組みが、契約や調達戦略に盛り込まれている。

●リーンおよびアジャイル／DevOps 手法の使用に対するリーダーシップのサポートが明示的かつ連鎖的に行われている（スポンサーシップが調達チェーン全体に連鎖する）。

●運用において開発者とユーザーの間の緊密なコラボレーションが必要であることが明確である。

●ステークホルダーの上位者が、リーン／アジャイル／DevSecOps 手法の使用をオープンかつ明確にサポートしている。

●自動化を促進する環境が整っている。

ツールセット

　セキュリティを実装する上でのもう一つの大きな障壁は、セキュリティ・チーム、運用チーム、開発チームの間で使っているツールセットの違いです。誰もがそれぞれの開発活動にお気に入りのツールを持っています。多くの DevOps ツールは、他のツールと簡単に統合できます。しかし残念ながら、それは常にそうではなく、時にはツール同士が統合されることも必要です。手動での設定には多くの時間がかかり、時間をかけて継続的にメンテナンスしなければならないこともあります。この問題を解決するには、誰もが同じツールセットを使うように要求することだと言うことができます。この解決策の問題点は、すべてのツールには長所と短所があり、ある状況ではあるツールが他のツールよりも適

していて、他の状況ではその逆になるということです。

　このようなツールセットの違いを克服するためには、プロジェクトの開始時に、開発チームがこの問題を念頭に置いてシステムを設計することが重要です。安全なアプリケーションを構築するためには、どのようなセキュリティテストツールが必要か。それらのテストツールと簡単に統合できるビルドエージェントは何か。セキュリティの観点から最も有用な情報を提供する監視ツールは何か。これらのことを考えておくことは、安全なアプリケーションを作成するために必要なシステム全体のアーキテクチャの整備に有効です。

統合とコラボレーション

　ここでの指針となる組織の方向性を以下に示します。

●開発部門と運用部門の間には、「多くの人が参加する」文化を醸成する。

●組織として開発チーム、テストチーム、運用チームの直接的なコラボレーションをサポートする。

●組織は、チームの成功に必要な物理的および社会的環境を提供する。

●顧客やエンドユーザーに出荷可能なソフトウェアを早期かつ頻繁に提供することを推奨する。

●組織の支援者が、DevSecOps を実践する際の役割やビジネスのペースの違いを理解し、サポートしている。

●直近の新しいエンジニアリングとマネジメントの手法の導入結果が良好である。

●製品のテストと評価が頻繁に（コードコミットの度に）、かつ定期的に行われており、望ましいこととして認識されている。

●経営陣が、組織内で DevSecOps 技術を強化するための特別な時間や努力を理解し、支持している。

コンフィグレーション

　管理されていないコンフィグレーションの変更は、管理不能、予測不能、再現不能な結果をもたらします。これにより、情報セキュリティの同期が取れなくなるという重大なリスクが生じます。例えば、DNS を変更するとセキュリティホールが発生するかもしれません。特にコンフィグレーションの変更については、手動による拙速な修正を避けるべきです。コンフィグレーション・ファイルをしっかりと管理する必要があります。

失敗からのコード変更

　何か失敗した場合には必ず、DevSecOps プロセスにおけるコード変更につなげるべきです。このプロセスは、何が悪かったのかを正確に理解することから始まります。チームは、同じ失敗を二度と起こさないことにコミットしなければなりません。チームが修正を組織全体に広めるようにしますが、透明性がこれを可能にします。　学んだ教訓を確実に収集、記録し、新しいスタッフ全

員に共有して学習させます。

最後に

　以上が、DevSecOps を推進していくための、カルチャー、組織、プロセス、インフラ、ツールセットに関する具体的な方法です。参考文献を巻末にまとめていますので、併せて御覧頂くことで理解を深めて頂ければと思います。また、本を閉じたら、皆さんの日々の仕事で実践したり、コミュニティで知見を共有していったりすることを推奨します。私が韮原さんと運営している DevSecOps Days の過去の動画を見たり、次のイベントに参加したりしてみてはいかがでしょうか。皆さんの同僚やシニアマネジメント、部下を巻き込めば組織全体で DevSecOps に取り組んでいくヒントが見つかることと思います。

　また、DevSecOps はまだ発展途上のプラクティスで、日々進化をしています。皆さんがその進化の担い手として、所属する組織やそれを超えたグローバルにつながったコミュニティに関わっていかれることを期待しています。

（翻訳：韮原祐介）

参考文献

URLs are valid as of the publication date of this document.
URL はこのドキュメントの発行日時点で有効です。

[Bass 2015]
Bass, Len; Weber, Ingo M.; & Zhu, Liming. DevOps: A Software Architect's Perspective. Addison-Wesley Professional. 2015.

[Bellomo 2014]
Bellomo, Stephany; Ernst, Neil; Nord, Robert; & Kazman, Rick. Toward Design Decisions to Enable Deployability: Empirical Study of Three Projects Reaching for the Continuous Delivery Holy Grail. Software Engineering Institute, Carnegie Mellon University. 2014. https://resources.sei.cmu.edu/library/asset-view.cfm?assetid=298735

[Bliesner 2015]
Bridging the Gap Between DevOps and Security.

[CircleCI 2019]
Puppet, CircleCI, and Splunk. 2019 State of DevOps Report: Presented by Puppet, CircleCI, and Splunk. 2019. https://www2.circleci.com/2019-state-of-devops-report.html

[DTRA 2017]
Defense Threat Reduction Agency. Joint Improvised-Threat Defeat Organization (JIDO). SecDevOps Concept of Operations. Version 1.0. 2017.

[Humble and Farley 2010]
Continuous delivery: reliable software releases through build, test, and deployment automation.

[Kim 2016]
Kim, Gene; Humble, Jez; Debois, Patrick; & Willis, John. The DevOps Handbook. IT Revolution Press. 2016.

[Klein and Reynolds 2019]
Klein, John & Reynolds, Doug. Infrastructure as Code: Final Report. Software Engineering Institute, Carnegie Mellon University. 2019. https://resources.sei.cmu.edu/library/asset-view.cfm?assetid=539327

[Leonard-Barton 1988]
Leonard-Barton, Dorothy. Implementation as Mutual Adaptation of Technology and Organization. Research Policy. Volume 17. Number 5. Pages 251-267. 1988.

[Miller 2014]
Miller, Suzanne. The Readiness & Fit Analysis: Is Your Organization Ready for Agile? Software Engineering Institute, Carnegie Mellon University. 2014. https://resources.sei.cmu.edu/library/asset-view.cfm?assetid=90977

[Weinberg 1997]
Weinberg, Gerald. Quality Software Management Volume 4: Anticipating Change. Dorset House Publishing. 1997.

[Zmud 1992]
Zmud, R. & Apple, L. E. Measuring Technology Incorporation/Infusion. Journal of Product Innovation Management. Volume 9. Number 2. Pages 148-155. 1992.

おわりに

　本書を結ぶにあたり、まずカーネギーメロン大学 CyLab フェローで、コグニティブリサーチラボ代表の苫米地英人先生に大いなる感謝の意を表したい。苫米地先生は、まるで散歩にでも連れ出すかのように、筆者を国防総省やカーネギーメロン大学、米国東海岸のサイバー系ベンチャー企業の方々に引き合わせしてくださった。本書の執筆は、先生との日々のディスカッションやご紹介いただいた数々の方々との出会いによって初めて可能となったとものであり、心からの感謝を申し上げたい。

　そうしてご紹介いただいた方々の中でも、米国防総省の最高情報責任者（CIO）を務められたリントン・ウェルズ博士と、カーネギーメロン大学のハサン・ヤサール先生のお二方には特に多くのご指導をいただいた。2019 年に慶應大学で行われたサイバーセキュリティ国際シンポジウムで、ウェルズ博士との対談セッションをさせていただいたことは本書執筆の大きなきっかけとなった上、ハサン先生には、2020 年から DevSecOps 推進のためのコミュニティ（DevSecOps Days Tokyo）の立ち上げにも多大なるお力添えをたまわった。本コミュニティのイベントの開催を通じて筆者自身も多くのことを学び、その学びが本書として結実するに至った。改めてお礼を申し上げたい。

　米国政府組織として初めて最高ソフトウェア責任者（チーフ・ソフトウェア・オフィサー）のポジションを任命された、米国空

軍のニコラス・シャラン氏にも感謝を申し上げたい。筆者よりも一歳若い、同年代のシャラン氏には、友人としても多くの刺激と知見をいただいた。今後、アメリカ国内だけでなく、日本においてもシャラン氏に続くような政府組織の中枢で活躍する30代の若い世代が現れてくることだろうと思う。このように本書執筆にあたり、多くの方々にご助言を頂いたが、内容についての責任は全て筆者にあることを付言しておきたい。

さて、本書の執筆を通じて、GAFAなど先端テクノロジー企業が持つ、新しいサービスや技術を生み出し続けるカルチャーが、実は日本企業にその源流をみることができることを見出した際には、日本人としてとても誇らしい気持ちになった。人口減少や経済力の相対的低下により、社会全体にこの国の未来に対する悲観的なムードが漂っているように感じるが、いま世界最大の富を生み出す源流が、日本にあったことを思えば、まだまだいけるどころか、むしろこれからが私たちの時代ではないだろうか。いま多くの課題を解決していかなければならない我が国ではあるが、こうした未来に残すべき素晴らしい国を作ってこられた、何世代にもわたる先人たちにも、心から感謝を申し上げたい。

DevOps、DevSecOpsが参考としている、トヨタ生産方式の改善マインドは、大野耐一氏の偉業による。ジャパン・アズ・ナンバーワンと言われた80年代には、多くのアメリカの大学や企業の研究者が大野氏を研究対象としていたのである。Apple創業者のスティーブ・ジョブズ氏がソニーの生産工場や日本の仏教文化

を熱心に研究していたことも広く知られた話であろう。現在、AIがもたらしたイノベーションの象徴的な技術は、畳み込みニューラルネットワークというディープラーニングの手法で、トロント大学のジェフリー・ヒントン教授が2012年に発表したものだが、その源流には1980年にネオコグニトロンというアルゴリズムを発表された、日本人の福島邦彦氏の研究成果を見出すことができる。

　ほんの数十年を遡るだけでも、こうした偉大なる先人たちがおり、また彼らと勝るとも劣らず、日々の研鑽に励んでいらっしゃる同時代を生きる多くの方々の存在を思えば、まだまだ「お楽しみはこれからだ」という良い時代に生きているのではないかと思えてくる。本書はサイバー攻撃からいかに個人を、企業を、国を、守っていくべきかを議論の焦点としたものだが、僭越ながら本書がこの国とそこで暮らす人々の新しい未来作りにわずかながらでも貢献できることを願って、本書を結びたい。

　お付き合いいただきありがとうございました。

Wait a minute. Wait a minute. You ain't heard nothing yet.

2021年10月3日　韮原　祐介

韮原祐介
[にらはらゆうすけ]

HRD 株式会社取締役
プロファイルズ株式会社取締役
コグニティブリサーチラボ株式会社執行役員
(サイバー防衛担当、カーネギーメロン大学 CyLab パートナーリエゾン)
合同会社レジリエンスジャパン副社長
株式会社ブレインパッド　エグゼクティブディレクター
DevSecOps Days Tokyo オーガナイザー
CognitiveCTF/CognitiveHack Japan オーガナイザー
東進デジタルユニバーシティ講師
東京大学非常勤講師

著書「いちばんやさしい機械学習プロジェクトの教本
　　　～人気講師が教える仕事に AI を導入する方法」(2018年、インプレス)

サイバー攻撃への抗体獲得法

レジリエンスとDevSecOpsによる
DX時代のサバイバルガイド

2021 年11月30日　第一版第一刷発行

[著　者]　**韮原祐介**

[執筆協力]　**ハサン・ヤサール**

[発行者]　**揖斐 憲**

[編集協力]　**中村カタブツ君**
[ブックデザイン]　**鈴木俊文** (ムシカゴグラフィクス)

[発行所]　**株式会社サイゾー**
〒 150-0043
東京都渋谷区道玄坂 1-19-2 スプラインビル 3F
電話　03-5784-07901

[印刷・製本] 株式会社シナノパブリッシングプレス